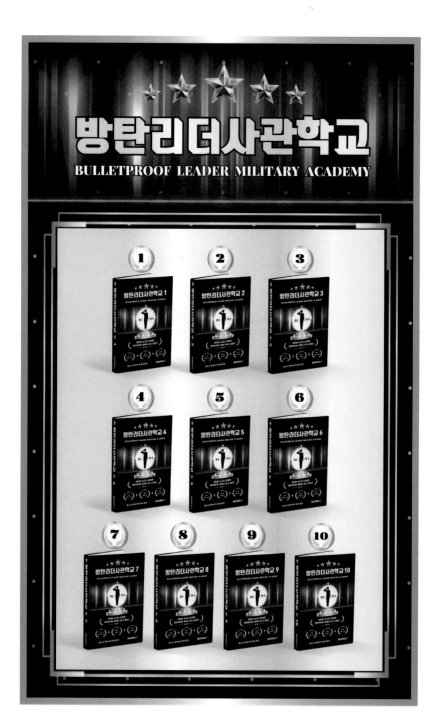

만나서 반갑습니다!
좋은 일이 생길 거예요!

가슴이 설레는 만남이 아니어도 좋습니다.
가슴이 떨리는 운명적인
만남이 아니어도 좋습니다.
만남 자체가 소중하니까요!

최보규 방탄리더사관학교 창시자

방탄리더사관학교 소개

세상에는 4대 사관학교가 있다. 육군사관학교, 해군사관학교, 공군사관학교, 방탄리더사관학교가 있다. 육군사관학교, 해군사관학교, 공군사관학교는 체계적인 시스템 속에서 군인정신 학습, 연습, 훈련을 통해 정예 장교(군 리더, 군사 전문가)를 육성하는 사관학교다.

방탄리더사관학교는 체계적인 시스템 속에서 방탄 리더십 25가지 시스템 학습, 연습, 훈련을 통해 정예 리더(방탄 리더, 방탄 리더십 전문가)를 양성하는 사관학교다.

누구나 리더가 된다. 하지만 방탄 리더는 아무나 될 수 없다. 누구나 방탄 리더가 될 수 있었다면 난 절대로 방탄리더사관학교를 선택하지 않았을 것이다.

방탄리더사관학교 신념

들어라 하지 말고 듣게 하자.
누구처럼 살지 말고 나답게 살자.

좋아하게 하지 말고 좋아지게 하자.
마음을 얻으려 하지 말고 마음을 열게 하자.

믿으라 말하지 말고 믿을 수 있는 사람이 되자.
좋은 사람을 기다리지 말고 좋은 사람이 되어주자.

보여주는(인기) 인생을 사는 것이 아닌
보여지는(인정) 인생을 살아가자.

나 이런 사람이야 말하지 않아도 이런 사람이구나.
몸, 머리, 마음으로 느끼게 하자.

-최보규 방탄리더사관학교 참모총장-

방탄리더사관학교 교훈

잘난 리더보다는
진실한 방탄 리더가 되겠습니다.

대단한 리더보다는
좋은 방탄 리더가 되겠습니다.

멋진 리더보다는
따뜻한 방탄 리더가 되겠습니다.

유명한 리더보다는
필요한 방탄 리더가 되겠습니다.

사람만 좋은 리더보다는
삼성(진정성, 전문성, 신뢰성)리더십이 나오는
방탄 리더가 되겠습니다.

-최보규 방탄리더사관학교 참모총장-

"당신은 제가 좋은 사람이
되고 싶도록 만들어요."라는
마음을 들게하여
행동하게 만드는
방탄 리더가 되기 위해
솔선수범, 청출어람
하겠습니다.

-최보규 방탄리더사관학교 참모총장-

방탄리더사관학교

BULLETPROOF LEADER MILITARY ACADEMY

방탄 리더십과

리더 사명감과	리더 기본기과	리더 태도과
리더십 식스펙(PT)과	리더 감정컨트롤과	리더 인간관계과
리더 소통과	리더 스토리텔링과	리더 스피치과
리더십 은퇴 준비과	리더 천재일우과	리더 7대 의무교육과
리더 자존감과	리더 멘탈과	리더 습관과
리더 행복과	리더 자기계발, 동기부여과	리더 재테크과
리더 방탄book기술력과	리더 책 쓰기, 출간과	리더 유튜버과
리더 강사과	리더 코칭과	리더 인재양성과

★《방탄리더사관학교 1》★

Class 1. 방탄 리더십과

- 1명의 방탄 리더가 10만 명을 변화시키고 먹여 살린다. 리더는 사라져도 방탄 리더십은 1,000년 간다! 리더의 삼성(진정성, 전문성, 신뢰성)을 업그레이드!

Class 2. 리더 사명감과

- 사명감은 스펙이다. 학습, 연습, 훈련으로 만들어진다.

Class 3. 리더 기본기과

- 리더의 Body(몸) 기본기, Head(머리) 기본기, Mind(마음) 기본기. 기본기는 그림자와 같다. 평생 함께한다.

Class 4. 리더 태도과

- 세상에서 가장 강력한 태도 스펙! 태도 스펙 학습, 연습, 훈련!

Class 5. 리더십 식스펙(PT)과

- 숨만 쉬어도 근손실(근육 손실), 숨만 쉬어도 리손실(리더십 손실) 앞서가는 리더는 리더십PT를 받는다.

★《방탄리더사관학교 2》★

Class 6. 리더 감정컨트롤과

- 리더의 감정이 태도가 되면 안 된다. 감정컨트롤 학습, 연습, 훈련

Class 7. 리더 인간관계과

- 리더는 천재지변 인간관계가 아닌 천재일우 인간관계를 해야 한다.

Class 8. 리더 소통과

- 소통에 답이 있는가? 정답은 답이 아니다. 해결책도 답이 아니다. 공감만이 답이다. 공감력을 키우는 방탄 소통.

Class 9. 리더 스토리텔링과

- 리더에 스토리텔링(Storytelling)으로 함께 하는 사람을 스토리두잉(Story Doing)하게 만들어야 한다.
스토리텔링을 통해 스토리두잉(Story Doing)을 하지 않으면 스토리는 다 쓰레기 된다!

Class 10. 리더 스피치과

- Body(몸) 스피치, Head(머리) 스피치, Mind(마음) 스피치 학습, 연습, 훈련하는 방법 381가지!

Class 11. 리더 은퇴 준비과

- 평균 희망 은퇴 73세, 현실 은퇴49세 이다. 20대 은퇴 예정자? 30대 은퇴 확정자? 40대 은퇴 위험군? 은퇴 십 골든타임!

★《방탄리더사관학교 3》★

Class 12. 리더 천재일우과

- 천재일우(千載一遇): 천 년에 한 번 만난다는 뜻으로 좀처럼 만나기 어려운 기회

★《방탄리더사관학교 4》★

Class 13. 리더 7대 의무교육과

- 직원은 5대 법정의무교육이 필수이고 리더는 7대 의무교육이 필수이다.

Class 14. 리더 자존감과

- 스마트폰은 쓰지 않아도 배터리가 소모되듯 리더 자존감 배터리는 숨만 쉬어도 소모된다. 리더 자존감 초고속 충전!

Class 15. 리더 멘탈과

- 리더 멘탈 7단계! 리더 순두부 멘탈, 리더 실버 멘탈, 리더 골드 멘탈, 리더 에메랄드 멘탈, 리더 다이아몬드 멘탈, 리더 블루다이아몬드 멘탈, 리더 방탄 멘탈.

★ 《방탄리더사관학교 5》 ★

- 리더십은 이벤트가 아니라 습관이다. 리더십 습관, 꼰대십 습관

- 리더 행복 심폐소생술! 리더 행복 초등학생, 리더 행복 중학생, 리더 행복 고등학생, 리더 행복 전문 학사, 리더 행복 학사, 리더 행복 석사, 리더 행복 박사, 리더 행복 히어로

★ 《방탄리더사관학교 6》 ★

- 리더는 노오력 자기계발, 동기부여가 아닌 올바른 노력 자기계발, 동기부여를 해야 한다.

- 리더의 7가지 재테크는 선택이 아닌 필수다.

★ 《방탄리더사관학교 7》 ★

- 수입 창출 6가지 시스템! 100세까지 지속적인 수입을 발생시키고 100세까지 현역을 유지시켜 준다.

- 리더 자신 분야 삼성(진정성, 전문성, 신뢰성)을 올리

는 최고의 자기계발은 책 쓰기, 책 출간이다!

★《방탄리더사관학교 8》★

Class 22. 리더 유튜버과

- 리더는 유튜브가 아닌 나튜브를 해야 한다.

★《방탄리더사관학교 9》★

Class 23. 리더 강사과(무인 시스템)

- 리더는 프로 강사처럼 말(스피치), 표정, 행동이 나와야 한다.

★《방탄리더사관학교 10》★

Class 24. 리더 코칭과

- 리더 코칭 10계명(품위유지의무), 리더의 0순위 스펙은 코칭 능력이다.

Class 25. 리더 인재 양성과

- 인재는 오는 것이 아니라 만들어지는 것이다. 인재 양성 시스템이 없으면 인재는 리더를 떠나지만 인재양성 시스템이 있으면 인재는 리더와 100년을 함께 한다.

최보규 대표

상담, 코칭, 강의, 컨설팅 문의
010-6578-8295

현] 방탄자기계발사관학교 창모총장
현] 강사야 대표강사
현] 자기계발아마존 CEO
현] 방탄book 출판사 대표
현] 방탄강사사관학교 코칭전문가
현] 사랑의전화 카운슬러
현] 방탄자기계발 유튜버
현] 최보규상(대한민국 노벨상)창시자

종이책 150권, 전자책 250권
총 400권 무인 콘텐츠

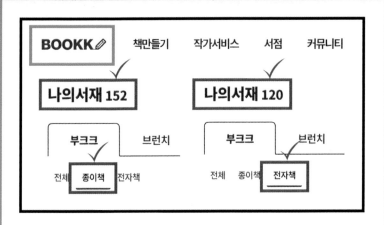

| BOOKK✎ | 책만들기 | 작가서비스 | 서점 | 커뮤니티 |

나의서재 152 　　　　　 나의서재 120

부크크　　브런치 　　　　　 부크크　　브런치

전체　종이책　전자책 　　　　　 전체　종이책　전자책

📖 유페이퍼 　[최보규] 검색어 콘텐츠 　159

이번 생에 건물주는 힘들어도
온라인 건물주는 가능하다!
400층 온라인 건물주를 가능하게 만든 시스템!

방탄book기술력

방탄자기계발사관학교
홈페이지 무인시스템

방탄자기계발사관학교

www.방탄자기계발사관학교.com

정예 방탄자기계발 전문가를 양성하는 사관학교

특허청 등록	특허청 등록
최보규 자기계발코칭 창시자	최보규 리더동기부여 코칭전문가
등록 번호: 제 40-2072344 호	등록 번호: 제 40-2128786호

방탄자기계발사관학교

아무나 방탄자기계발전문가가 될 수 있었다면 난 절대로 방탄자기계발사관학교를 선택하지 않았을 것이다.

| Google 자기계발아마존 | ▶YouTube 방탄자기계발 | NAVER 방탄자기계발사관학교 | NAVER 최보규 |

방탄자기계발사관학교
홈페이지 무인시스템

방탄자기계발사관학교 소개
1,000,000원

구매하기

PPT로 책 쓰기, 책 출간
200,000원

구매하기

자신 분야 6가지 수입을 창출 방법
200,000원

구매하기

방탄 사랑 사랑 사용 설명서 사랑도 스펙이다
200,000원

구매하기

Google 자기계발아마존　　▶YouTube 방탄자기계발　　NAVER 방탄자기계발사관학교　　NAVER　　최보규

교육 실적

기업

삼성전자, 현대자동차, 한국전력공사, LG전자, 삼성생명보험, 포스코, GS칼텍스, SK네트웍스, 기아자동차, 현대중공업, 에쓰오일, SK에너지, 한국가스공사, LG디스플레이, GM대우, 교보생명, KT, SK텔레콤, 대한생명, LG화학, 롯데백화점, 신세계백화점, 삼성물산, 삼성화재해상보험, 오일뱅크, 대한항공, 삼성중공업, 현대모비스, 하이닉스반도체, 현대제철, 대우조선해양, 한진해운, 대우건설, GS건설, 현대건설, 한국수력원자력, 효성, LG상사, 현대상선, 현대해상화재보험, 대림산업, STX팬오션, LIG손해보험, LG텔레콤, 동부화재, 여천NCC, SK건설, 삼성테크윈, 삼성SDI, 삼성토탈, 현대하이스코, 한국남부발전, 동국제강, 아시아나항공, 롯데건설, 포스코건설, 한화, SK가스, ING생명, 위아, 삼성테크원, 대우차판매, 쌍용자동차, 제일모직, 한국서부발전, 한국동서발전, 신한카드, 현대미포조선, 르노삼성자동차, 현대다온개발, GS리테일, 대우증권, 신한지주금융, 삼성전기, 현대대호중공업, 우리투자증권, 비씨카드, 메리츠화재, 글로비스, 한화석유화학, 삼성카드, 현대증권, 로보트보쉬, 피티클럽증권, 한독약품, 이마트, 제일기획, 리츠칼튼, 유엔젤, 삼선캅든, CJ, 코오롱, 오리온, GS마켓, 종로학원, 김영사, 아토, 코엔텍, 휴스틸, 블루클럽, 한국콘베어, 디시페로 신진화학 등 2000여 대중소기업

은행

KB국민은행, 우리은행, 신한은행, 산업은행, SC제일은행, 하나은행, 기업은행, 한국외환은행, 한국씨티은행, 농협, 수협, 축협 등

관공서

금융감독원, 검찰청, 국세청, 경찰청, 법무부, 식약청, 보건복지부, 교육청, 서울시, 각 구청, 서울시, 수원시, 인천시, 안동시, 제주시, 안양시, 거제시, 상주시, 만방위교육청, 한국과학기술원가원, 보훈교육연구원, 각 지역 교육연수원, 한국교육개발원, 농업기술센터, 농업기반공사, 국립공원관리공단, 국립특수교육원, 건설교통인재개발원 한국증권업협회 등 200여개 기관

병원

서울대병원, 서울아산병원, 삼성서울병원, 연세대세브란스병원, 가톨릭대 서울성모병원, 아주대병원, 고려대안암병원, 한양대병원, 중앙대병원, 선한목자정형외과, 순천향병원, 보훈병원, 봄빛병원, 이다치과, 소리이비인후과, 영산의료법인 등

대학교 특강 (교양, 최고경영자과정, 명사특강)

서울대, 연세대, 고려대, 중앙대, 한양대, 서강대, 포스텍, 카이스트, 경희대, 인하대, 이화여대, 조선대, 안동대, 건국대, 동아대, 충주대, 대전대, 청주대, 대진대, 한국산업기술대, 금오공과대, 아주대, 경기대, 숙명여대, 동국대, 순천대, 전남대, 영남대, 경기대, 강남대, 세종대, 카톨릭대, 경북대, 부경대, 창원대, 목포대, 광주여대, 한국해양대, 세명대, 충남대, 광운대, 울산대, 국민대, 제주대, 서울시립대, 단국대, 군산대, 경성대, 대구대, 동아방송대, 동의과학대, 백석대, 백석예술대, 폴리텍대, 인천대 등 150여개 대학교

강의 사진

600명 자자자자멘습긍 강의
(자존감, 자신감, 자기관리, 자기계발, 멘탈, 습관, 긍정)

500명 자자저자멘습긍 강의
(자존감, 자신감, 자기관리, 자기계발, 멘탈, 습관, 긍정)

최보규 방탄강사 창시자

저는 입으로 강의하지 않겠습니다.
제 삶으로 강의하겠습니다.
저는 가르치지 않겠습니다.
제 삶으로 가르치겠습니다.
최보규강사는 명강사, 스타강사가 아닙니다!
그래서 한 달에 15권 책을 보고 메모하며
강의 준비, 솔선수범 하고 있습니다!
최보규강사 보다 강의 잘하는 사람은 많습니다!
다만 최보규강사 만큼 학습자를
사랑하는 강사는 세상에 없을 것입니다!

최보규 방탄동기부여 신조

들어라 하지 말고 듣게 하자.
누구처럼 살지 말고 나답게 살자.
좋아하게 하지 말고 좋아지게 하자.
마음을 얻으려 하지 말고 마음을 열게 하자.
믿으라 말하지 말고 믿을 수 있는 사람이 되자.
좋은 사람을 기다리지 말고 좋은 사람이 되어주자.
보여주는(인기) 인생을 사는 것이 아닌
보여지는(인정) 인생을 살아가자.
나 이런 사람이야 말하지 않아도
이런 사람이구나 몸, 머리, 마음으로 느끼게 하자.

경력은 실력이 아닙니다! 최보규 강사는 경력만으로 강의하지 않습니다!
책을 읽고 메모하며 책을 출간 했다고 강의 내공이 좋은 건 아닙니다!
하지만 책 2,032권, 메모 7,626개, 습관 320가지, 책 100권 출간 내공으로
강의하는 강사에 강의 내공은 단언컨대 "세계 최고"일 것입니다!

15년 2,032권 읽음

15년 7,626개 메모

자기계발서 100권 출간

45년 방탄 습관 320가지

최보규 강사 11계명

1. 학습자에게 섬김을 받으려는 강의가 아닌 학습자를 섬길 수 있는 강의를 하겠습니다.
2. 오늘이 마지막 날인 것처럼 강의하고 영원히 살 것처럼 학습자에게 배우겠습니다.
3. 강의 있는 전날에는 최상의 컨디션을 유지 하기 위해 건강관리, 목 관리, 자기관리 하겠습니다.
4. 강의장 1시간 전에 도착해서 강의 마음가짐 준비하겠습니다.
5. 강의장 가장 먼저 도착 강의 끝난 후 가장 늦게 나오겠습니다.
6. 내 삶이 강의고 강의가 내 삶이 되도록 행동하겠습니다.
7. 힘들게 배운 강의 노하우들 아낌없이 주겠습니다.
8. 어떻게 하면 학습자에게 즐거움? 행복? 메시지? 감동? 희망? 사랑?을 줄 것인가에 항상 생각
하며 공부하겠습니다.
9. TV보다 책을 더 보겠습니다. 10. 공인이라는 마음으로 솔선수범하겠습니다.
11. 강사의 자존심 아침에 나올 때 신발장에 넣고 나오겠습니다.

방탄강사 백신

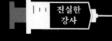

★ 잘난 강사가 되지 않고 진실한 강사가 되겠습니다!
잘난 강사는 피하고 싶어지지만 진실한 강사는
곁에 두고 싶어집니다!

★ 대단한 강사가 되지 않고 좋은 강사가 되겠습니다!
대단한 강사는 부담을 주지만 좋은 강사는
행복을 줍니다

★ 멋진 강사가 되지 않고 따뜻한 강사가 되겠습니다!
멋진 강사는 눈을 즐겁게 하지만 따뜻한 강사는
마음을 데워 줍니다.

★ 유명한 강사가 되지 않고 필요한 강사가 되겠습니다!
유명한 강사는 환상을 주지만 필요한 강사는
배움, 성장, 지혜를 줍니다.

최보규 방탄동기부여 전문가
검증된 PT; 강의, 맞춤 코칭, 컨설팅

◉ 특허청 등록 ◉
최보규 자기계발코칭 창시자
등록 번호: 제 40-2072344 호

최보규 대표
010-6578-8295

◉ 특허청 등록 ◉
최보규 리더동기부여 코칭전문가
등록 번호: 제 40-2128786 호

방탄자기계발사관학교는 국가등록 민간자격증 발급 기관! 명품 인재 양성 기관!

리더십코칭전문가	동기부여코칭전문가	자기계발코칭전문가	강사코칭전문가	책쓰기코칭전문가
★★★★	★★★★★	★★★★★	★★★★★	★★★★★

리더 분야	동기부여 분야	자기계발 분야	강의, 강사 분야	책쓰기, 책출간 분야
〈저자 최보규〉	〈저자 최보규〉	〈저자 최보규〉	〈저자 최보규〉	〈저자 최보규〉

리더 분야	동기부여 분야	자기계발 분야	강의, 강사 분야	책쓰기, 책출간 분야
방탄 리더십	7대 동기부여	7대 자기계발	강사 7대 의무교육	책 쓰기 동기부여
리더 7대의무교육	변화,성장동기부여	변화,성장자기계발	강사 인성, 매너	책 출간 동기부여
리더 품위유지의무	비전 동기부여	비전 자기계발	강사 품위유지의무	작가 품위유지의무
리더 은퇴, 재테크	열정 동기부여	열정 자기계발	강사1~3년 차	책 쓰기, 책 출간 10G
리더 동기부여	사원 동기부여	사원 자기계발	강사료 올리기 위한 준	매뉴얼, 시스템.
리더 스피치	임원진 동기부여	임원진 자기계발	비, 스펙 쌓기.	100권 출간으로 월세,
리더 사명감, 인성	직급별 동기부여	직급별 자기계발	강사4~10년 차	연금성 수입 창출건수.
리더 기본기, 태도	사랑 동기부여	사랑 자기계발	강사료 올리기 위한 준	강의 교안으로 책 쓰기
리더 자존감, 멘탈	자존감 동기부여	자존감 자기계발	비, 스펙 쌓기.	책 출간.
리더 습관, 행복	자신감 동기부여	자신감 자기계발	강사10~20년 차	출간한 책으로 강의 교
리더 인간관계	자기관리 동기부여	자기관리 자기계발	강사료 올리기 위한 준	안 작업.
인재 양성 매뉴얼	자기계발 동기부여	자기계발 자기계발	비, 스펙 쌓기.	출간한 책으로 온라인,
리더 감정컨트롤	멘탈 동기부여	멘탈 자기계발	강사 스킬UP	디지털 콘텐츠 제작.
리더 스트레스관리	습관 동기부여	습관 자기계발	강사 트레이닝	6가지 수입을 창출 하
리더 라포형성기법	긍정 동기부여	긍정 자기계발	강의 스토리텔링 기법	는 책 쓰기, 책 출간.
리더 상담기법	인간관계 동기부여	인간관계 자기계발	강의 SPOT 기법	100년 지속 할 수 있
리더 코칭기법	인재양성 동기부여	인재양성 자기계발	강사 양성 매뉴얼	는 기술력을 배우는 책
리더 스토리텔링	행복 동기부여	행복 자기계발	강사 양성 시스템	쓰기, 책 출간.

Google 자기계발아마존 ▶YouTube 방탄자기계발 NAVER 방탄자기계발사관학교 NAVER 최보규

27

목차

★《방탄리더사관학교 4》★

방탄리더사관학교

BULLETPROOF LEADER MILITARY ACADEMY

방탄 리더십과

리더 사명감과	리더 기본기과	리더 태도과
리더십 식스펙(PT)과	리더 감정컨트롤과	리더 인간관계과
리더 소통과	리더 스토리텔링과	리더 스피치과
리더십 은퇴 준비과	리더 천재일우과	리더 7대 의무교육과
리더 자존감과	리더 멘탈과	리더 습관과
리더 행복과	리더 자기계발, 동기부여과	리더 재테크과
리더 방탄book기술력과	리더 책 쓰기, 출간과	리더 유튜버과
리더 강사과	리더 코칭과	리더 인재양성과

★★★★★ 방탄리더사관학교 창시한 이유

방탄리더사관학교를 창시한 이유는 세종대왕님이 한글을 창시한 이유와 같다.

세종대왕님이 한글을 창시한 이유는 한 문장으로 말을 한다면 백성을 사랑해서다.

<훈민정음 서문>
우리나라의 말과 소리가 중국과 달라 한자와 서로 통하지 않는다. 그러므로 어리석은 백성들이 말하고 싶은 바가 있어도 그 뜻을 펴지 못하는 이가 많다. 내가 이를 불쌍히 여겨 새로 스물여덟 자를 만드노니 사람마다 쉽게 익혀 나날이 쓰기에 편하게 하고자 할 따름이니라.

최보규 방탄리더사관학교 참모총장이 방탄리더사관학교를 만든 이유를 한 문장으로 말을 한다면 "함께 하는 사람을 사랑하고 함께 잘 되고 잘 살자"라고 할 수 있다.

지금 3고(고물가, 고금리, 고환율) 시대, AI 시대, 챗GPT 시대, 숨만 쉬어도 200만 원 ~ 300만 원이 나가는 시대, 평균 희망 은퇴 73세, 현실 은퇴 나이 49세 시대... 점점 더 힘들고 어려워지는 시대다. 지금 상황을 극복하기 위해서는 일반 리더십으로는 힘들다. 강력한 리더십이 필요하고 노오력 하는 리더가 아닌 올바른 노력을 하는 방탄 리더가 절실하게 필요한 시대다.

나쁜 개는 없다. 나쁜 견주만 있다. 견주십!
나쁜 자녀는 없다. 나쁜 부모만 있다. 부모십!
나쁜 직원은 없다. 나쁜 리더만 있다. 리더십!

모든 것은 리더십에서 시작된다는 것이다. 지금 시대는 위치가 사람을 만드는 경우보다 위치가 사람을 망치는 경우가 더 많다. 리더 위치에서 끊임없이 리더십 학습, 연습, 훈련하지 않으면 리더를 망치고 리더와 함께 하는 사람들까지 망쳐버린다. 그 무엇보다 리더십은 체계적으로 배워야 하는데 현실은 어떤가?

20,000명 심리 상담, 코칭 하면서 알게 된 것은 체계적인 시스템 없는 인스턴트 리더 책, 인스턴트 리더 교육으로 인해 건강한 리더십, 현명한 리더십이 아닌 늘 그때뿐인 인스턴트 리더십에 중독되어 리더들의 몸, 머리, 마음까지 썩고 있다는 것이다.

리더십의 본질을 알아야만 노오력이 아닌 올바른 노력

을 할 수 있다.

운동의 본질은 헬스, 운동의 기본기를 배우지 않는 사람이 좋은 헬스장으로 옮긴다고 헬스, 운동 습관이 만들어지는 것이 아니다.

직장의 본질은 월급 날짜만 기다리는 사람이 직장을 바꾼다고 일에 대한 의욕이 생기지 않는다.

사랑의 본질은 평상시에 사랑받을 행동을 안 하는 사람은 사랑하는 사람이 생겨도 사랑받을 수가 없다.

인간관계의 본질은 내가 좋은 사람이 되기 위해 학습, 연습, 훈련을 안 하면 좋은 사람이 생겨도 금방 떠나간다.

자기계발, 동기부여 본질은 "어제 보다 0.1% 나은 사람이 되자."라는 태도로 꾸준히 자기계발, 동기부여하지 않으면 시간, 돈 낭비를 한다.

리더십의 본질은 경력, 나이를 내세우면서 시대에 맞는 리더십으로 업데이트하지 않으면 리더십이 아닌 꼰대십(리더병)이 나온다. 꼰대십(리더병)이 생기면 "위치가 사람을 만드는 것이 아니라 위치가 사람을 망쳐버린다."

본질의 힘

본질을 모르면
시간, 돈, 인생 낭비가 되어
악순환이 반복된다.
본질을 어떻게 학습, 연습, 훈련할 것인가?

 헬스, 운동의 본질

 직장, 일의 본질

 연애, 사랑의 본질

 인간관계의 본질

 자기계발, 동기부여의 본질

 리더십의 본질

더 늦기 전에 방탄리더사관학교 25가지 리더십의 본질인 방탄 리더 인재 양성 시스템을 통해 강력한 리더십인 방탄 리더십으로 거듭나야 된다.

방탄 리더 1명이 10만 명을 먹여 살리고 변화 시킨다.
리더는 사라져도 방탄 리더십은 1,000년 간다.
세계 최초 방탄리더사관학교 25가지 시스템 시작한다!

세종대왕님이 한글을 창시한 이유!
"백성을 사랑해서!"

방탄리더사관학교를 창시한 이유!
"함께 잘되고 잘 살자!"

훈민정음 서문

우리나라의 말과 소리가 중국과 달라 한자와 서로 통하지 않는다. 그러므로 어리석은 백성들이 말하고 싶은 바가 있어도 그 뜻을 펴지 못 하는 이가 많다. 내가 이를 불쌍히 여겨 새로 스물여덟 자를 만드노니 사람마다 쉽게 익혀 나날이 쓰기에 편하게 하고자 할 따름이니라.

방탄리더사관학교

3고(고물가, 고금리, 고환율) 시대, AI 시대, 챗 GPT 시대, 숨만 쉬어도 200만 원 ~ 300만 원이 나가는 시대, 평균 희망 은퇴 73세, 현실 은퇴 나이 49세 시대...강력한 리더십이 필요하고 노오력 하는 리더가 아닌 올바른 노력을 하는 방탄 리더가 절실하게 필요한 시대다.

방탄리더사관학교

BULLETPROOF LEADER MILITARY ACADEMY

리더
7대 의무교육과

<저자 최보규>

직원은 5대 법정의무교육이 필수이고
리더는 7대 의무교육이 필수이다.

- 직원은 5대 법정의무교육이 필수이고 리더는 7대 의무교육이 필수이다.

★ 왜! 직원들은 5대 법정의무교육이 필수인가! 5대 법정의무교육 고.틀.선.편 깨기 (고정관념, 틀, 선입견, 편견)

직원은 5대 법정의무교육, 리더는 7대 의무교육이 필수인 이유를 알기 위해서는 먼저 의무교육 본질을 알아야 한다. 다음은 대한민국 의무교육의 본질을 알려주는 내용이다.

의무교육? 국가가 정한 법률에 의해 일정한 나이에 이른 아동이 의무적으로 받아야 하는 보통 교육이다.
<대한민국헌법 제31조>
②모든 국민은 그 보호하는 자녀에게 적어도 초등교육과 법률이 정하는 교육을 받게 할 의무를 진다.
③의무교육은 무상으로 한다.
<교육기본법 제8조(의무교육)>
①의무교육은 6년의 초등교육과 3년의 중등교육으로 한다.
②모든 국민은 제1항에 따른 의무교육을 받을 권리를 가진다.

한마디로 의무교육은 법으로 정한 교육이라서 받지 않으면 법을 위반하는 것이므로 100만 원 이하의 과태료를 받게 된다.

회사도 마찬가지이다. 5인 이상 사업장에서 일하는 직원들은 5대 법정 의무교육을 필수로 받아야 한다. 다음은 5대 법정 의무교육 핵심 내용을 알게 해주는 내용이다.

5대 법정 의무교육이란? 일반적으로 산업안전보건교육, 직장 내 성희롱예방교육, 개인정보보호교육, 직장 내 장애인 인식개선교육, 퇴직연금교육 등 관련법에 따라 기업에서 필수적으로 받아야 하는 교육을 말함.

■ 1대. 산업안전보건교육
▶대상: 5인 이상 사업장(일부 업종 제외)
▶교육시간: 매 분기 6시간 이상.
　　　　　　사무직/판매업(매 분기 3시간 이상)
▶자체교육: 가능
▶강사자격: 사업장 소속 관리, 책임자, 관리감독자 등 공단 강사요원, 교육과정 이수자. 산업안전지도사 또는 산업위생지도사 등
▶관련 법령: 산업안전보건법 제 31조
▶과태료: 500만 원 이하의 과태료

▶문의처: 한국산업안전보건공단 1644-4544

■ 2대. 직장 내 성희롱예방교육
▶대상: 근로자를 사용하는 모든사업장.
(상시근로자 10인 미만 사업. 어느 한 성으로만 구성된 사업은 교육자료, 홍보물 게시, 배포하는 방법으로 가능)
▶교육시간: 연 1회, 1시간 이상
▶자체교육: 가능
▶강사자격: 없음
▶관련 법령: 남녀 고용 평등과 일, 가정 양립 지원에 관한 법률 제 13조
▶과태료: 500만 원 이하의 과태료
▶문의처: 고용노동부 1350

■ 3대. 개인정보보호교육
▶대상: 개인정보를 처리하는 자
▶교육시간: 연 1~2회(권고)
▶자체교육: 가능
▶강사자격: 없음
▶관련 법령: 개인정보보호법 제 28조
▶과태료: 사고, 사건 발생 시 최대 5억 원 이하의 과징금
▶문의처: 한국인터넷진흥원 1544-5118

■ 4대. 직장 내 장애인 인식개선교육

▶대상: 사업주 및 모든 근로자 (50인 미만 간이교육 가
　　　능. 간이교육자료 게시, 배포 등)

▶교육시간: 연 1회. 1시간 이상

▶자체교육: 가능

▶강사자격: 공단 강사양성과정 수료한 강사

▶관련 법령: 장애인 고용 촉진 및 직업 재활법 제5조의2

▶과태료: 300만 원 이하의 과태료

▶문의처: 한국장애인고용공단 1588-1519

■ 5대. 퇴직연금교육

▶대상: 퇴직연금제도 가입자

▶교육시간: 연 1회 이상

▶자체교육: 가능

▶강사자격: 퇴직연금사업자

▶관련 법령: 근로자 퇴직급여 보장법 제 32조

▶과태료: 1천만 원 이하의 과태료

▶문의처: 근로복지공단 1661-0075

<산업인력공단>

리더, 대표 입장에서는 직원들이 5대 법정의무교육을 선
택이 아닌 필수로 받아야 과태료를 피할 수 있다는 것
을 알기에 적극적으로 직원들이 5대 법정의무교육을 받

길 바란다.

하지만 직원들은 그렇지 않다. 주기적으로 5대 법정의무교육을 많이 듣다 보니 극단적인 말로 법정의무교육 강사만큼은 못해도 마음만은 법정의무교육 강사라는 것이다. 말로 설명은 어려워도 머릿속에는 법정의무교육 이론은 대부분 알고 있기 때문이다.

직원 입장에서는 회사를 1년~2년 정도 다니면 5대 법정의무교육을 반복적으로 듣다 보니 과태료가 발생하면 회사가 내지 직원들이 과태료를 내는 것이 아니기 때문에 중요한 교육이라고 생각하지 않는다는 것이다.

하지만 대부분 직원이 잘못 알고 있다. 5대 법정의무교육을 하지 않아 회사가 과태료를 물게 된다면 직원으로서도 책임이 있다는 것이다. 극단적으로 말을 하면 월급에 5대 법정의무교육을 받아야 하는 의무도 포함이 되어 있는 것이다. "회사에서 이루어지는 모든 것들은 월급에 다 포함되어 있다."라는 태도가 슬기로운 직장생활에 기본이라는 것이다.

20,000명 심리 상담, 코칭 하면서 알게 된 것은 5대 법정의무교육을 직원들이 듣기 싫어한다는 것이다. 왜! 싫어할까? 90%는 5대 법정의무교육을 진행하는 강사에게 문제가 있다. 5대 법정의무교육을 듣는 것을 싫어하는

직원들만 문제가 아니다. 가장 큰 문제는 5대 법정의무교육을 강의하는 강사가 더 큰 문제다. 5대 법정의무교육 내용들이 기본 이론적인 부분에서 시간이 흘러도 크게 변하지 않기에 비슷한 강의를 계속 듣다 보니 직원들이 좋아하겠는가? 이런 상황에서 5대 법정의무교육을 강의하는 강사가 강의를 못 한다면 더 최악이라는 것이다. 그래서 5대 법정의무교육 고,틀,선,편(고정관념, 틀, 선입견, 편견)이 5대 법정의무교육 강의를 하는 강사 때문에 직원들 머릿속에 이렇게 각인 되어 있다.

"몇 시에 5대 법정의무교육이 있어? 똑같은 말 또 하고 또 하고 앵무새처럼 5대 법정의무교육 이론만 떠드는 강의 나도 말 할 수 있겠다. 아니 회사는 왜 도움도 안 되는 것을 계속 듣게 하는 거야! 아 제발! 즐거움, 재미, 흥미는 1도 없는 5대 법정의무교육 좀 안 들었으면 좋겠다. 과태료 회사가 내지 내가 내나! 듣기 싫어 잠이나 자야겠다. 스마트폰이나 해야겠다."

5대 법정의무교육의 고,틀,선,편(고정관념, 틀, 선입견, 편견)을 누가 만들었는가? 5대 법정의무교육을 강의하는 강사가 만들어 줬다는 것이다. 강사들이 5대 법정의무교육을 준비할 때 직원들의 상황을 알고 좀 더 다르게, 좀 더 신선하게, 좀 더 흥미롭게, 좀 더 즐겁게 강의하기 위한 강의스킬UP, 강의기법 학습, 연습, 훈련을 해야 하는데 90% 강사들이 하지 않는 게 현실이다.

타이틀만 강사지 일반 사람들과 별 차이가 없이 앞자리에서 이론만 강의하는 강사가 90%라는 것이 안타까운 강사계 현실이다.

안타까운 강사계 현실을 바로 잡기 위해서 대한민국 최초로 강사백과 사전을 출간했다.
"대한민국 최초" 《나다운 강사 1》(강사 사용 설명서), 《나다운 강사 2》(강사 내비게이션) 강사 백과사전 창시자로서 방탄 강의 코칭, 방탄 강사 코칭 할 때 늘 하는 말이 있다. 직장인들은 1년에 5대 법정의무교육, 일반 교육 강의를 수도 없이 듣기에 강의 제목만 들어도 대한 고,틀,선,편(고정관념, 틀, 선입견, 편견)을 깨주지 못하면 강의를 안 하는 거와 같다는 것이다.

지금 현실 세상 어떤 강의든 청중들 90%는 이런 고,틀, 선,편(고정관념, 틀, 선입견, 편견)이 있다.

"뻔한 강의 하겠지! 다 아는 내용 하겠지!"
"제발 억지로 시키지 마라! 제발 가르치지 마라!"
"재미없겠지! 빨리 끝났으면 좋겠다!"

"관심 없어 너나 잘하세요! 배울 게 없겠지"

"말투, 표정, 행동에서부터 자신감, 당당함, 삼성(진정성, 전문성, 신뢰성) 느껴지지 않네! 이런 강의는 나도 하겠다. 강사님은 강사직업 맞지 않는 거 같네요."

이런 상황에서 필자가 방탄강사양성을 할 때 늘 하는 말이 있다. 담당자, 청중, 학습자 고.틀.선.편 깨우지 못하면 강사료 받지 마라! 강사는 청중들 90%는 이런 고,틀, 선,편(고정관념, 틀, 선입견, 편견)을 깨주기 위해서 강의 시작 5분 동안(고,틀,선,편을 깨주는 최적의 시간, 라포 형성: 의사소통에서 상대방과 형성되는 친밀감 또는 신뢰관계를 말한다.) 강사는 학습자가 다음으로 나오는 마음이 들게끔 해야 한다.

"어라! 이벤트도 하네! (퍼포먼스, 선물)"

"어라! 이 강사는 다르네!"

"와 진짜 이 강사는 최선을 다해서 강의한다. 이 강사는 인정한다."

"뭔가 전에 듣던 5대 법정의무교육 강의와 다르겠는데! 재미있겠는데! 흥미가 생기는데"

"움직이는 거 가장 싫어하는데 자연스럽게 하고 있네!"

"배울 게 있겠는데 이 강사 포스가 장난 아닌데!"

"말투, 표정, 모습에서 자신감, 당당함, 삼성(진정성, 전문성, 신뢰성) 느껴지는 강사는 10년 회사 생활하면서 100명 넘게 본 강사들 중 처음인데"

90% 강사들이 5대 법정의무교육을 듣는 직원들의 고, 틀,선,편(고정관념, 틀, 선입견, 편견)을 깨주지 못하니 5대 법정의무교육이 세상에서 가장 재미없는 강의다고 말을 한다.
방탄강사코칭을 하다 보면 법정의무교육강사들이 늘 물어 보는 것이 있다. 법정의무교육을 하러 가면 청중들이 항상 물어 보는 것이 있다고 한다.

"5대 법정의무교육이 법으로 정해져 있는 교육이기 때문에 의무적으로 들어야 되는 교육이라는 것은 알겠는데 '크게 변함없는 의무교육 이론, 반복적인 강의를 시간 아깝게 굳이 계속 들어야 될 필요성을 못 느끼겠다. 회사에 과태료가 부과 된다고 하니 어쩔 수 없이 들어야 되는 것을 모르는 건 아닌데...'라는 말들을 많이 합니다. 이럴 때는 어떻게 동기부여를 시켜줘야 하는지요."

극단적으로 "법으로 정해져 있으니 월급에 5대 법정의무교육 듣는 것도 포함되어 있습니다. 아무 말 하지 말고 들으세요!"라는 말을 할 수도 있다.

하지만 강사라면 일반 사람과 다른 사람이다. 동기부여를 잘 시켜줘야 한다. 사람마다 동기부여가 다르겠지만 스토리텔링이 강력한 동기부여가 된다. 다음은 5대 법정의무교육을 왜 들어야 되는지 동기부여를 시켜주는 내용이다.

"습관이 의식적으로 만들어지는 시기는 21일이고 몸에 익숙해지는 시기는 66일이다. 의식을 하지 않아도 몸에 익숙해져서 자동 반사적으로 반복적으로 하는 것이 중요하다. 그래서 의무교육 중에 가장 기본인 5대 법정의무교육을 반복적으로 주기적으로 몸에 익숙해져서 자동 반사적으로 행동할 수 있게끔 하기 위해서 교육을 하는 것이다. 다음은 반복적인 5대 법정의무교육을 통해 사고를 예방하고 사람을 살린 실제 사례다. 직장 동료가 갑자기 쓰러져 숨을 쉬지 않는 상황에서 심폐소생술로 살린 직장인. "주기적으로 교육 듣는 산업안전의무교육 때 심폐소생술 실전 연습을 늘 했었다. 설마 내 눈앞에 그런 일이 일어나겠어? 라는 생각으로 지냈다. 눈앞에 실제로 사람이 쓰러져 있는 것을 보니 순간 멍해졌다. 순간 사람을 살려야 된다는 생각에 나도 모르게 심폐소생술을 하고 있었다. 내 자신이 신기했다. 반복적으로 듣던 의무교육이 사람을 살린 것 같다. 당시에는 늘 똑같은 의무교육을 왜 듣는지 투덜투덜했었는데 이제는 제대로 듣는다." 직장 동료 한 사람을 살린 것이 아니라 직장 동료의 가족까지 살린 거와 같다. 5대 법정의무교육은 자신 가족을 살리며 누군가에 소중한 사람을 살리는 교육이다. 사람을 살리는 5대 법정의무교육 대충 들으실 건가요? 사람을 살리는 기술 보유자가 되는 것이다. 자부심을 가지고 들어도 된다. 사람을 살리는 기술교육 시작한다. 전에 들었던 5대 법정의무교육 강사와 다르다는 것을 보여 주겠다.

<최보규 리더의무교육 코칭전문가>

작은 일도 무시하지 않고 최선을 다해야 한다.
작은 일에도 최선을 다하면 정성스럽게 된다. 정성스럽게 되면 겉에 배어 나오고 겉에 배어 나오면 겉으로 드러나고 겉으로 드러나면 이내 밝아지고 밝아지면 남을 감동시키고 남을 감동시키면 이내 변하게 되고 변하면 생육 된다. 그러니 오직 세상에서 지극히 정성을 다하는 사람만이 나와 세상을 변하게 할 수 있는 것이다.

<중용 23장>

작은 일에도 최선을 다하고 반복적인 5대 법정의무교육을 "사람을 살리는 교육"이라는 태도로 들어야 자신 가족, 소중한 사람을 살릴 수 있는 계기가 될 수 있다.

<최보규 리더의무교육 코칭전문가>

나쁜 개는 없다. 다만 나쁜 견주만 있다.

나쁜 자녀는 없다. 다만 자녀 키우는 학습, 연습, 훈련을 안 하는 나쁜 부모만 있다.

나쁜 청중은 없다. 다만 강의, 강사 직업에 대한 학습, 연습, 훈련을 하지 않아 강의를 못 하는 실력 없는 강사만 있다.

지루한 5대 법정의무교육은 없다. 다만 5대 법정의무교육 강의를 지루하게 하는 강사만 있다.

나쁜 직원은 없다. 다만 리더 7개 의무교육 학습, 연습, 훈련을 하지 않아 인재가 떠나게 하여 리더 자신 회사를 망하게 하는 리더만 있다.

직원은 5대 법정의무교육 필수!
리더는 7대 의무교육 필수!

1. 산업안전보건교육 2. 직장 내 성희롱예방교육
3. 개인정보보호교육 4. 직장 내 장애인 인식개선교육
5. 퇴직연금교육

1. 방탄 리더십 의무교육   5. 리더 행복 의무교육
2. 리더 자존감 의무교육   6. 리더 자기계발 의무교육
3. 리더 멘탈 의무교육   7. 리더 코칭 의무교육
4. 리더 습관 의무교육

★ 20,000명 심리 상담, 코칭 하면서 알게 된 리더 7대 의무교육의 비밀! 왜! 리더는 7대 의무교육이 필수인가! 리더 7대 의무교육 고.틀.선.편 깨기 (고정관념, 틀, 선입견, 편견)

앞에서 언급했던 "의무교육은 6년의 초등교육과 3년의 중등교육이다. 의무교육은 법으로 정한 교육이라서 받지 않으면 법을 위반하는 것이므로 100만 원 이하의 과태료를 받게 된다. 회사도 마찬가지이다. 5인 이상 사업장에서 일하는 직원들은 5대 법정 의무교육을 필수로 받아야 한다."라고 했다.

초등, 고등 의무교육 받지 않으면 100만 원 벌금.
산업안전보건교육, 직장 내 성희롱예방교육을 받지 않으면 500만 원 이하의 과태료.
개인정보보호교육을 받지 않으면 사고, 사건 발생시 최대 5억원 이하의 과징금.
직장 내 장애인 인식개선교육 받지 않으면 300만 원 이하의 과태료.
퇴직연금교육을 받지 않으면 1천만 원 이하의 과태료.

리더 7대 의무교육을 받지 않으면 벌금, 과태료, 과징금은 없지만 벌금, 과태료, 과징금보다 더 큰 손실을 본다.

가장 큰 손실인 인재가 떠나고 회사가 망한다는 것이다. 왜! 리더가 7대 의무교육을 받지 않으면 벌금, 과태료, 과징금보다 무서운 인재가 떠나고 회사가 망하는지 설명하겠다. 집중!

5대 법정 의무교육이란? 일반적으로 산업안전보건교육, 직장 내 성희롱예방교육, 개인정보보호교육, 직장 내 장애인 인식개선교육, 퇴직연금교육 등 관련법에 따라 기업에서 필수적으로 받아야 하는 교육을 말함.

리더 7대 의무교육이란? 리더십의 본질인 방탄리더십(삼성리더십) 의무교육, 리더 자존감 의무교육, 리더 멘탈 의무교육, 리더 습관 의무교육, 리더 행복 의무교육, 리더 자기계발 의무교육, 리더 코칭 의무교육을 말한다.

◆ 리더 7대 의무교육! ◆

■ 1대. 방탄리더십(삼성리더십) 의무교육

※. 삼성리더십: 진정성, 전문성, 신뢰성

▶대상: 일반인(강사, 코칭 전문가가 되고 싶은 사람), 신입 사원, 상사, 임원진, 대표

▶교육시간: 기본 2시간(5시간~25시간 선택 가능)

▶자체교육: 가능 (리더십코칭전문가 1급, 2급 취득자)

▶강사자격: 리더십코칭전문가 1급, 2급 취득 강사

▶인생 과태료: 인재가 떠나고 회사가 망한다.

▶문의처: www.방탄자기계발사관학교.com

　　　　최보규 대표 010-6578-8295

■ 2대. 방탄 리더 자존감 의무교육

▶대상: 일반인(자존감을 시스템 안에서 체계적으로 높이고 관리 받고 싶은 사람), 강사, 코칭 전문가가 되고 싶은 사람, 신입 사원, 상사, 임원진, 대표

▶교육시간: 기본 2시간(5시간~25시간 선택 가능)

▶자체교육: 가능 (리더십코칭전문가 1급, 2급 취득자)

▶강사자격: 리더십코칭전문가 1급, 2급 취득 강사

▶인생 과태료: 인재가 떠나고 회사가 망한다.

▶문의처: www.방탄자기계발사관학교.com

　　　　최보규 대표 010-6578-8295

■ 3대. 방탄 리더 멘탈 의무교육

▶대상: 일반인(멘탈을 시스템 안에서 체계적으로 배우고 관리 받고 싶은 사람), 강사, 코칭 전문가가 되고 싶은 사람, 신입 사원, 상사, 임원진, 대표

▶교육시간: 기본 2시간(5시간~25시간 선택 가능)

▶자체교육: 가능 (리더십코칭전문가 1급, 2급 취득자)

▶강사자격: 리더십코칭전문가 1급, 2급 취득 강사

▶인생 과태료: 인재가 떠나고 회사가 망한다.

▶문의처: www.방탄자기계발사관학교.com

최보규 대표 010-6578-8295

■ 4대. 방탄 리더 습관 의무교육

▶대상: 일반인(습관을 시스템 안에서 체계적으로 배우고 관리 받고 싶은 사람), 강사, 코칭 전문가가 되고 싶은 사람, 신입 사원, 상사, 임원진, 대표

▶교육시간: 기본 2시간(5시간~25시간 선택 가능)

▶자체교육: 가능 (리더십코칭전문가 1급, 2급 취득자)

▶강사자격: 리더십코칭전문가 1급, 2급 취득 강사

▶인생 과태료: 인재가 떠나고 회사가 망한다.

▶문의처: www.방탄자기계발사관학교.com

최보규 대표 010-6578-8295

■ 5대. 방탄 리더 행복 의무교육

▶대상: 일반인(행복을 시스템 안에서 체계적으로 배우고 관리 받고 싶은 사람), 강사, 코칭 전문가가 되고 싶은 사람, 신입 사원, 상사, 임원진, 대표

▶교육시간: 기본 2시간(5시간~25시간 선택 가능)

▶자체교육: 가능 (리더십코칭전문가 1급, 2급 취득자)

▶강사자격: 리더십코칭전문가 1급, 2급 취득 강사

▶인생 과태료: 인재가 떠나고 회사가 망한다.

▶문의처: www.방탄자기계발사관학교.com

최보규 대표 010-6578-8295

■ 6대. 방탄 리더 자기계발 의무교육

▶대상: 일반인(자기계발을 시스템 안에서 체계적으로 배우고 관리 받고 싶은 사람), 강사, 코칭 전문가가 되고 싶은 사람, 신입 사원, 상사, 임원진, 대표

▶교육시간: 기본 2시간(5시간~25시간 선택 가능)

▶자체교육: 가능 (리더십코칭전문가 1급, 2급 취득자)

▶강사자격: 리더십코칭전문가 1급, 2급 취득 강사

▶인생 과태료: 인재가 떠나고 회사가 망한다.

▶문의처: www.방탄자기계발사관학교.com
최보규 대표 010-6578-8295

■ 7대. 방탄 리더 코칭 의무교육

▶대상: 일반인(코칭을 시스템 안에서 체계적으로 배우고 관리 받고 싶은 사람), 강사, 코칭 전문가가 되고 싶은 사람, 신입 사원, 상사, 임원진, 대표

▶교육시간: 기본 2시간(5시간~25시간 선택 가능)

▶자체교육: 가능 (리더십코칭전문가 1급, 2급 취득자)

▶강사자격: 리더십코칭전문가 1급, 2급 취득 강사

▶인생 과태료: 인재가 떠나고 회사가 망한다.

▶문의처: www.방탄자기계발사관학교.com
최보규 대표 010-6578-8295

리더가 리더 7대 의무교육을 받지 않으면 벌금, 과태료, 과징금보다 더 큰 손실이 발생하고 왜! 인재가 떠나고 왜! 회사가 망하는지 설명하겠다. 집중!

20,000명 심리 상담, 코칭으로 알게 된 리더 7대 의무교육을 받지 않으면 인재가 떠나고 회사가 망하는 이유!

1대. 방탄리더십(삼성리더십) 의무교육을 받지 않은 리더. ※삼성리더십: 진정성, 전문성, 신뢰성
방탄리더십의 본질은 삼성리더십이다. 리더의 가장 기본은 진정성, 전문성, 신뢰성이 리더십으로 나와야 한다.
파레토 법칙(80:20법칙)이라는 경제용어가 있다. 상위 20% 사람들이 전체 부(富)의 80%를 가지고 있다거나, 상위 20% 고객이 매출의 80%를 창출한다. 조직체원들 중 인재 20%, 직원 80% 상황에서 리더가 삼성리더십이 나오지 않으면 직원 80%는 동요되지 않지만 인재 20%는 떠나간다. 인재 20%는 철저하게 리더의 삼성을 본다는 것이다. 리더가 삼성이 없다면 회사가 삼성이 없는 것과 같다. 리더에게 방탄리더십(삼성리더십)이 가장 중요한 것이다.
스마트폰 가지고만 있어도 배터리가 소모되듯 리더십 배터리도 숨만 쉬어도 소모가 되기에 꾸준한 리더십 충전(리더 7대 의무교육)이 필요하다. 대한민국 최초 리더

7대 의무교육은 방탄자기계발사관학교에서 초고속 충전하고 인재를 양성하며 관리 할 수 있다.

2대. 방탄 리더 자존감 의무교육을 받지 않은 리더.
자존감이 무엇인가? 자아존중감이다. 단순히 말을 하면 자신을 얼마만큼 사랑하는지 알게 해주는 것이 자존감이다. 자존감이 높은 리더는 자신을 사랑하기에 조직체원들을 존중, 인정, 배려로 대하지만 자존감이 낮은 리더들은 자신을 사랑하는 것이 부족해서 조직체원들에게 존중, 인정 배려가 나오질 않아서 갑질, 오너리스크가 생기는 것이다. 인재들은 자존감이 높다. 그래서 자존감이 낮으면 인재가 가장 먼저 알아차리고 떠난다.
스마트폰 가지고만 있어도 배터리가 소모되듯 리더 자존감 배터리도 숨만 쉬어도 소모가 되기에 꾸준한 리더 자존감 충전(리더 7대 의무교육)이 필요하다. 대한민국 최초 리더 7대 의무교육은 방탄자기계발사관학교에서 초고속 충전하고 인재를 양성하며 관리 할 수 있다.

3대. 방탄 리더 멘탈 의무교육을 받지 않은 리더.
멘탈이 낮으면 콤플렉스, 열등감, 자격지심이 많아서 말투, 표정, 행동에서 나온다. 멘탈이 낮은 리더는 안 좋은 상황, 위급한 상황이 닥쳤을 때 상황대처 능력이 떨어져서 우와좌왕한다. 리더의 우와좌왕 하는 모습들이 누적이 되면 인재는 떠난다. 인재들은 멘탈이 높다. 인재라고 생각이 드는 직원이 있다면 멘탈 약한 모습을 보여주어서는 안 된다. 평상시에 멘탈 학습, 연습, 훈련을 꾸준히 해야 한다.

스마트폰 가지고만 있어도 배터리가 소모되듯 리더 멘탈 배터리도 숨만 쉬어도 소모가 되기에 꾸준한 리더 멘탈 충전(리더 7대 의무교육)이 필요하다. 대한민국 최초 리더 7대 의무교육은 방탄자기계발사관학교에서 초고속 충전하고 인재를 양성하며 관리 할 수 있다.

4대. 방탄 리더 습관 의무교육 받지 않은 리더.

단호하고 냉정하지 못하는 습관.

거절 잘 못하는 습관.

귀가 얇은 습관.

결정 장애 습관.

감정 기복이 심한 습관.

한방, 대박을 바라는 습관.

모든 것을 돈돈돈돈돈으로 보는 습관.

말할 때마다 돈돈돈돈돈으로 시작해서 돈으로 끝나는 습관.

돈에 집착하는 습관.

하는 행동이 만만하게 보이는 습관.

시기, 질투, 불만 습관.

조금만 잘해줘도 간, 쓸개 다 빼주려는 습관.

오지랖이 많은 습관.

자기 관리를 하지 않는 습관.

자기계발을 하지 않는 습관.

너무 착하게만 행동하는 습관.

.

.

많은 것이 있지만 한마디로 정리를 하면 조직체원들이 봤을 때 "우와! 우리 리더의 습관을 보면 내가 좋은 직원이 되고 싶도록 만들어"라는 마음을 들게 해야 하는데 안 좋은 습관들이 많으면 "우리 리더의 습관을 보면 내일이라도 당장 퇴사하고 싶게 만든다."라는 마음을 들게 하여 인재가 떠나 회사가 망한다.

스마트폰 가지고만 있어도 배터리가 소모되듯 리더 습관 배터리도 숨만 쉬어도 소모가 되기에 꾸준한 리더 습관 충전(리더 7대 의무교육)이 필요하다. 대한민국 최초 리더 7대 의무교육은 방탄자기계발사관학교에서 초고속 충전하고 인재를 양성하며 관리 할 수 있다.

5대. 방탄 리더 행복 의무교육 받지 않은 리더.

리더 자신이 행복률이 낮으면 리더 자신의 행복률을 채우기 위해 세상, 현실, 주위 사람들이 말하는 행복의 기준인 돈에 집착하게 만든다. 돈을 많이 번다는 것에 3혹

[유혹, 현혹, 화혹: 화려함에 혹하는 것]되어 사기를 잘 당한다. 행복률이 낮으면 3혹이 잘 된다. 3혹 되는 모습이 누적되면 인재가 떠나가고 회사가 망한다.

스마트폰 가지고만 있어도 배터리가 소모되듯 리더 행복 배터리도 숨만 쉬어도 소모가 되기에 꾸준한 리더 행복 충전(리더 7대 의무교육)이 필요하다. 대한민국 최초 리더 7대 의무교육은 방탄자기계발사관학교에서 초고속 충전하고 인재를 양성하며 관리 할 수 있다.

6대. 방탄 리더 자기계발 의무교육 받지 않은 리더.

자기계발이 무엇인가? 자신, 자신 분야를 어제보다 나은 사람이 되기 위해 어제보다 0.1% 성장시켜 자신 가치, 몸값을 올려 자신 분야, 인생에서 필요한 사람이 되는 것이다. 자기계발을 제대로 하지 않는 리더는 자신의 성장에는 관심이 없고 오로지 돈만 있으면 된다는 태도로 한방, 대박만을 바라게 된다는 것이다. 인재가 회사를 떠나는 이유 중 첫 번째는 리더, 회사가 비전이 보이지 않는 것이다. 리더가 자기계발을 통해 비전, 가능성, 목표, 방향이 있다면 인재는 나가라고 해도 나가지 않는다. 아무리 화려한 것을 보더라도 가야 할 길(비전, 목표, 방향)이 분명하게 있는 리더는 3혹 되지 않지만 가야 할 길(비전, 목표, 방향)을 분명하게 보여주지 않으면 인재는 떠나고 회사는 망한다.

스마트폰 가지고만 있어도 배터리가 소모되듯 리더 자기계발 배터리도 숨만 쉬어도 소모가 되기에 꾸준한 리더 자기계발 충전(리더 7대 의무교육)이 필요하다. 대한민국 최초 리더 7대 의무교육은 방탄자기계발사관학교에서 초고속 충전하고 인재를 양성하며 관리 할 수 있다.

7대. 방탄 리더 코칭 의무교육 받지 않은 리더.

리더에게 0순위 스펙은 인재 양성 코칭이다! 리더가 인재 양성 코칭 매뉴얼, 시스템이 없다면 인재는 떠나간다. 인재는 오는 것이 아니라 만들어지는 것이다. 리더 코칭 의무교육 매뉴얼, 시스템 구축은 신입사원 교육 매뉴얼, 시스템보다 더 중요하다. 인재 양성 매뉴얼, 시스템이 없다면 인재는 더 이상 성장 할 수 없다고 판단한다. 성장할 수 없다고 판단이 서면 떠난다. 인재가 떠나면 회사가 망한다.

스마트폰 가지고만 있어도 배터리가 소모되듯 리더 코칭 배터리도 숨만 쉬어도 소모가 되기에 꾸준한 리더 코칭 충전(리더 7대 의무교육)이 필요하다. 대한민국 최초 리더 7대 의무교육은 방탄자기계발사관학교에서 초고속 충전하고 인재를 양성하며 관리 할 수 있다.

방탄 리더 7대 의무교육!

1대. 방탄리더십(삼성리더십) 의무교육

2대. 방탄 리더 자존감 의무교육

3대. 방탄 리더 멘탈 의무교육

4대. 방탄 리더 습관 의무교육

5대. 방탄 리더 행복 의무교육

6대. 방탄 리더 자기계발 의무교육

7대. 방탄 리더 코칭 의무교육

직원은 5대 법정의무교육이 필수고 리더는 7대 의무교육이 필수다. 4차 산업 시대에 맞는 4차 리더 의무교육 7단계 시스템 학습, 연습, 훈련을 통해 리더 자신 분야 삼성(진정성, 전문성, 신뢰성)을 높여 제2수입, 제3수입까지 올릴 수 있는 리더 의무교육 자기계발로 리더 자신, 가족, 팀원, 조직체원들을 끌고 가는 리더가 아니라 끌어가는 리더가 되자.

리더 7대 의무교육

1대. 방탄리더십(삼성리더십) 의무교육
2대. 방탄 리더 자존감 의무교육
3대. 방탄 리더 멘탈 의무교육
4대. 방탄 리더 습관 의무교육
5대. 방탄 리더 행복 의무교육
6대. 방탄 리더 자기계발 의무교육
7대. 방탄 리더 코칭 의무교육

스마트폰 가지고만 있어도 배터리가 소모가 되듯 리더 7대 의무교육 배터리 또한 숨만 쉬어도 소모가 되기에 꾸준한 리더 7대 의무교육 충전이 필요하다.

방탄 리더 의무교육

(리더 7대 의무교육 사용 설명서)

직원은 5대 법정의무교육 필수!
리더는 7대 의무교육 필수!

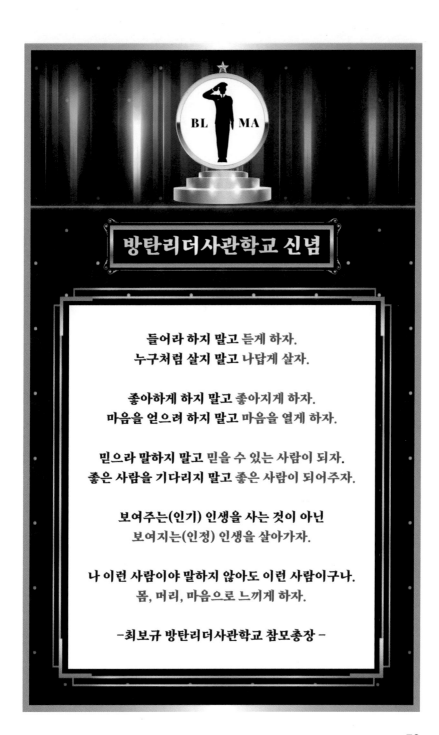

방탄리더사관학교 신념

들어라 하지 말고 듣게 하자.
누구처럼 살지 말고 나답게 살자.

좋아하게 하지 말고 좋아지게 하자.
마음을 얻으려 하지 말고 마음을 열게 하자.

믿으라 말하지 말고 믿을 수 있는 사람이 되자.
좋은 사람을 기다리지 말고 좋은 사람이 되어주자.

보여주는(인기) 인생을 사는 것이 아닌
보여지는(인정) 인생을 살아가자.

나 이런 사람이야 말하지 않아도 이런 사람이구나.
몸, 머리, 마음으로 느끼게 하자.

-최보규 방탄리더사관학교 참모총장 -

- 스마트폰은 쓰지 않아도 배터리가 소모되듯 리더 자존감 배터리는 숨만 쉬어도 소모된다. 리더 자존감 초고속 충전!

★ 운전도 방어운전이 중요하듯 인생길은 방탄자존감

운전 할 때 중요한 게 무엇일까? 방어운전이다. 인생도 길이라고 한다. 인생길에서 가장 중요한건 자존감이듯 리더의 길에서 중요한건 자존감이다.

고속도로에서 방어운전의 1순위가 10분의 휴식이다. 10분의 휴식이 가족, 상대방 생명을 지키듯 리더에서는 방탄 리더 자존감이 가족, 리더, 팀원, 조직체를 지킨다.

방탄 리더 자존감 본질

리더 자존감 굳이 배워야 하나요?
그냥 살면 안 되나요?
나이 먹으면서
자연스럽게 배우는 거 아닌가요?

방탄 리더 자존감를
삼성(진정성, 전문성, 신뢰성)이 검증된
전문가에게 배워야 되는 이유 13가지!

리더 자존감 굳이 배워야 하나?

방탄 리더 자존감 동기부여 세트

1. 주위 사람 말에 흔들리지 않게 해줍니다.

2. 자신의 가능성, 자신감을 향상시켜 줍니다.

3. 스트레스 관리를 잘할 수 있게 해줍니다.

4. 자신을 진짜 사랑하는 방법을 알게 해줍니다.

5. 외로움, 우울함 관리를 더 잘할 수 있게 해줍니다.

6. 나 너가 아닌 우리라는 마음을 알게 해줍니다.

7. 자신도 필요한 존재 도움이 되는 사람이구나. 느끼게 해줍니다.

8. 부정적인 비교보다는 긍정적 비교를 더 하게 해줍니다.

9. 가진 것이 부족해서 생기는 불만보다는 감사를 더하게 해줍니다.

10. 자격 지심, 콤플렉스, 트라우마, 상처를 관리할 수 있게 해줍니다.

11. 삶의 의욕을 넘치게 해줍니다.

12. 자신의 가치를 찾게 해줍니다.

13. 불행, 고난, 역경 힘든 시기가 왔을 때 이겨낼 수 있게 해줍니다.

다음은 외적인 모습보다 내적인 자존감이 중요하다는 것을 깨닫게 해주는 스토리텔링이다.

생쥐가 한 마리가 있었다. 생쥐는 늘 고양이를 무서워하며 살았다. 마법사에게 찾아가 고양이의 천적인 개로 만들어 달라고 했다. 레드썬! 개의 모습이 되어 고양이 앞에 갔는데 또 무서움이 사라지지 않았다.
마법사에게 찾아가 호랑이로 만들어 달라고 했다. 레드썬! 호랑이의 모습이 되어 고양이 앞에 갔는데 또 무서움이 사라지지 않았다.
마법사에게 찾아가서 사람으로 만들어 달라고 했다. 레드썬! 사람의 모습이 되어 고양이 앞에 갔는데 또 무서움이 사라지지 않았다.

결국 생쥐를 도와줬던 마법사가 사람이 된 생쥐를 다시 본래의 생쥐를 만들어 주면서 이렇게 말했다.

"너의 모습이 아무리 좋게 바뀌어도 생쥐의 가슴을 가지고 있는 한 그때뿐이다".
《마음을 밝혀주는 소금 1》 내용 각색

생쥐의 가슴, 심장은 낮은 자존감이다. 리더가 바뀌지 않고 기존의 가지고 있는 자존감을 시대에 맞게 바뀌지 않으면 늘 그때뿐이고 악순환이 계속된다.

단순히 말을 하면 자존감 낮은 리더가 명품으로 포장하고 명품 차를 타고 외적으로 아무리 꾸미더라도 자존감이 낮다면 늘 그때뿐이다.

자존감이 낮으면 생쥐의 심장이 호랑이의 심장으로 바뀌지 않는다. 자존감이 높아야만 생쥐의 심장이 호랑이의 심장으로 체인지 된다.

언제까지 생쥐의 심장, 생쥐의 자존감으로 살 것인가?

방탄 리더 자존감 학습, 연습, 훈련으로 리더 생쥐의 심장을 호랑이의 심장, 호랑이의 자존감으로 바꿀 수 있다.

스토리텔링(Story Telling)
스토리두잉(Story Doing)

스토리두잉을 하지 않으면
스토리는 다 쓰레기 된다!

어디에 있든 그 곳이
변화, 성장, 배움, 행복의
시작점이다.

- 최보규 방탄리더십 전문가 -

★ 20,000명 심리 상담, 코칭 하면서 알게 된 자존감의 비밀!

20,000명을 심리 상담, 코칭 하면서 알게 된 자존감의 비밀이 있다.

사람이 사는 이유가 뭐죠? 대부분 사람은 이런 질문을 하면 표정이 좋지 않다. 사는 이유를 알아야 한다는 것은 이론적으로는 알지만, 현실이 하루하루 먹고살기 힘들기에 사는 이유를 물어보면 대부분 사람은 난감해 한다.

"사람이 사는 이유가 꼭 있어야 되나요?"라는 말을 반문을 하기도 한다. 당연히 이유가 없어도 된다. 방탄 리더십 전문가로서, 심리 상담 전문가로서 자신 있게 말을 해주고 싶은 게 있다.

"사람이 사는 이유?" 누군가 물어본다면 "행복하기 위해서 산다."라고 자신 있게 말을 하면 된다.

리더십, 사랑, 연예, 인간관계, 성공, 꿈, 이루고 싶은 모든 것은 행복하기 위해서다.

누군가가 "왜 사세요?"라고 물어 본다면 행복하기 위해서 산다고 자신 있게 말을 하면 된다.

행복한 인생을 살고 싶다면 행복의 본질을 알아야 한다. 행복의 본질은 자존감이다.

인생을 마법처럼
한 번에 바꿔주는 것은 없다!
하지만 방탄자존감은
인생을 마법처럼 바꿔준다.

방탄자존감은
행복, 사랑, 돈, 인간관계
인생, 꿈 등
이루고 싶은 것을
마법처럼 바꿔준다.

방탄자존감은
선택이 아닌
필수다!

- 출처: 〈나다운 방탄 자존감 사전 I〉 저자 최보규 -

방탄자존감은 인생을 잘 다루게 한다!

김연아는
김연아답게 세계에서 온리원으로 피겨를 잘 다루고

류현진은
류현진답게 세계에서 온리원으로 야구를 잘 다루고

손흥민은
손흥민답게 세계에서 온리원으로 축구를 잘 다루고

BTS(방탄소년단)는 BTS(방탄소년단)답게
세계에서 온리원으로 댄스, 뮤직을 잘 다루고

세계 최초 방탄멘탈 창시자 인
최보규는 최보규답게 세계에서 온리원으로
방탄자존감을 잘 다룹니다.

지혜로운 사람은 자신을 잘 다루며
방탄자존감은
돈, 사랑, 행복, 인간관계, 자기계발, 멘탈, 습관, 꿈 등
이루고 싶은 것들을 잘 다루게 합니다.

4차 산업시대에 4차 자존감인
방탄자존감은 선택이 아닌 필수입니다.

- 출처: 〈나다운 방탄 자존감 사전Ⅰ〉 저자 최보규 -

★ 스마트폰은 쓰지 않아도 배터리가 소모되듯 리더 자존감 배터리는 숨만 쉬어도 소모된다. 어떻게 고속 충전할 것인가?

다음은 자신 자존감을 고속 충전시켜주는 최고의 방법을 깨닫게 해주는 스토리텔링이다.

보이지 않아도 누가 알아주기나 하겠어?
시스티나 성당은 1481년 로마 바티칸에 세워진 교황 전용 예배당이자 오늘날까지 교황을 선출하는 추기경 회의인 콘클라베의 개최장소로 사용되고 있다. 1508년 미켈란젤로는 교황 율리우스 2세의 요청에 따라 이 성당에 불후의 명작인 〈천지창조〉를 그리게 된다. 그는 날마다 성당에 틀어박혀 사람들의 출입을 금지하고 무려 4년 동안 고개를 뒤로 젖힌 채 거의 누운 자세로 천장화 그리는 일에만 매달렸다. 그는 이 자세가 습관이 되어 한동안 편지도 종이를 치켜들고 머리를 젖힌 채 읽었다고 한다.
어느 날, 여느 날처럼 천장 밑에 세운 작업대에 앉아 고개를 뒤로 젖힌 채 천장 구석구석에 심혈을 기울여 그림을 그리고 있는 미켈란젤로에게 한 친구가 물었다. "여보게 잘 보이지도 않는 구석까지 뭘 그렇게 정성을 들여 그리나? 누가 그걸 알아준다고!" 그 말에 미켈란젤로는 이렇게 대답했다. "그거야 내가 알지!"

누가 알아주든 말든, 잘 보이지 않는 구석구석까지 혼신의 힘을 다하는 미켈란젤로처럼 일 자체가 좋아서 하는 태도를 심리학에서는 미켈란젤로 동기라고 한다. 미켈란젤로처럼 아무도 알아주지 않아도 좋은 일, 내가 좋아서 몰두하고 있는 일은 무엇인가?

《실행이 답이다》

이효리가 말하는 자존감 높이는 방법

"너네 어제 못 느꼈지?" 오토바이 중간 중간 설 때 일부러 나무 그늘이 있으면 난 그 앞에 멈춘 거? 진(핑클 멤버)이가 뒤에 나무그늘에 서 쉬라고. 내 자신한테 감동했어. 나한테 이런 면이? 그걸 너네한테 얘기하고 그게 중요한 게 아니라 그런 것들이 자존감을 올려 주는 거 알아? 남들이 안 알아줘도 내가 내 자신이 기특하게 보이는 시간이 많을수록 자존감이 높아져. 그래서 옛날에 상순 오빠랑 나무 의자를 만드는데 안에는 안보이잖아. 의자 밑바닥 거기를 열심히 사포질하길래 "여긴 사람들이 안 보잖아. 이렇게 하는지 누가 알겠어." 그랬더니 상순 오빠가 하는 말이 "내가 알잖아." 그게 되게 진짜 큰 깨달음을 느꼈어. "남이 생각하는 나보다 더 중요한 건 내가 생각하는 나" -이상순-

<JTBC 골라봐야지>

미켈란젤로 동기, 이효리 동기, 이상순 동기...등 수 많은 동기들이 있다. 스마트폰 쓰지 않아도 배터리가 소모 되듯 숨만 쉬어도 자존감 배터리는 소모가 된다. 그래서 사소한 것들로 충전을 해야만 자존감이 유지가 되는 것이다. 그런데 사람들은 착각을 한다. 좋은 일이 생겨서, 명품을 받아서, 명품을 사서, 좋은 곳을 가서, 목표한 결과가 나와서, 행복한 일이 생겨서, 고백을 했는데 커플이 돼서, 자녀가 대학의 붙어서, 집을 사서, 결혼을 해서, 애를 낳아서, 박사 학위를 취득해서, 책을 출간해서...등 기쁘고, 행복한 마음이 들면 자존감 배터리가 충전되고 자존감이 높아지는 줄 알고 한번 충전된 자존감 배터리는 방전이 안 되는 줄 안다.

그런데 안타깝게도 자존감은 태양광 패널처럼 한번 설치하면 영구적으로 충전되는 게 아니다. 앞에서도 언급했듯이 숨만 쉬어도 자존감 배터리는 소모가 된다. 숨만 쉬어도 소모되는 게 또 있다?

지금 시대 숨만 쉬어도 4인 가구 기준으로 봤을 때 최소 200만 원 지출이 발생한다.
(통계청: 초등학생 자녀 2명을 둔 4인 가구 표준생계비 556만 334원, 월평균 임금 312만 9,000원. 외벌이 경우는 200만 원이 부족한 상황이다.)

그렇다면 숨만 쉬어도 자존감 배터리가 떨어지는데 어떻게? 어떻게? 어떻게? 하면 자존감 배터리 방전을 막을 수 있을까? 질문이 틀렸다! 자존감 배터리 방전을 막을 수 있는 방법은 없다. 사람의 심리는 자연의 이치처럼 자연스럽게 자존감 배터리는 소모가 된다. 그래서 "어떻게 하면 자존감 배터리를 그때그때 채울까? 충전할까?"라는 질문을 하는 게 맞고 "어떻게 하면 충전 시킨 자존감 배터리를 천천히 떨어지게 할까?"라는 질문이 맞는 것이다.

충전도 일반 충전, 고속 충전이 있다. 고속 충전이 일반 충전보다 2배 빠르다. 그렇다면 자존감 일반 충전, 자존감 고속 충전을 어떻게 해야 되고 어떤 방법이 있는가?

"세계 최초" 공개하겠다. 노벨상 받은 사람도 말 못하는 자존감 일반 충전 방법, 자존감 고속 충전 하는 방법!

#. 자존감 배터리 일반 충전하는 방법은 사소한 것이라도 자신 몸, 정신에 도움이 되는 행동하는 모든 것!

#. 자존감 배터리 고속 충전하는 방법은 사소한 것이라도 "함께 잘 되고 잘 살자" 마음으로 행동하는 모든 것!

♥ 최보규 방탄리더십 전문가의 자존감 충전 방법!

#. 자존감 배터리 일반 충전, 고속 충전 습관 320가지 중에 일부분 벤치마킹하자!

- 8시간 숙면하는 것이 자존감 배터리 일반 충전이다.
- 알람 듣고 바로 일어나는 것이 자존감 배터리 일반 충전이다.
- 기상 직후 양치질하고 물 한 잔 마시는 것이 자존감 배터리 일반 충전이다.
- 유산균, 영양제 먹는 것이 자존감 배터리 일반 충전이다.
- 책 읽어 주는 앱(교보문고 SAM) 실행하는 것이 자존감 배터리 일반 충전이다.
- 전신 스트레칭 10분 하는 것이 자존감 배터리 일반 충전이다.
- 세수하고 로션 바르기 전 자존감, 멘탈, 긍정 스티커 보고 얼굴 스트레칭하는 것이 자존감 배터리 일반 충전이다.
- 하루 2번 박장대소 15초 하는 것이 자존감 배터리 일반 충전이다.
- 현관문 앞에 문구 "보규야! 신발장에 자존심 넣어 두고 나가니?"보고 나오는 것이 자존감 배터리 일반 충전이다.

- 강의가 있건 없건 무조건 집을 나서는 것이 자존감 배터리 일반 충전이다.
- 강의 2~3시간 전 강의장 근처에 도착해서 책 읽는 것이 자존감 배터리 일반 충전이다.
- 강의 1시간 전 강의 마음가짐을 준비하는 것이 자존감 배터리 일반 충전이다.
- 책 메모한 것을 점심시간 때 지인 450명에게 보내는 것이 자존감 배터리 고속 충전이다.
- 배워서 남 주자는 마인드를 실천하는 것이 자존감 배터리 고속 충전이다.
- 한 달에 책 15권 읽는 것이 자존감 배터리 일반 충전이다.
- 담배, 술, TV, 게임 안 하는 것이 자존감 배터리 일반 충전이다.
- 전신 장기기증(160명에게 새로운 삶을 준다.)하고 건강관리 하는 것이 자존감 배터리 고속 충전이다.
- 길 가다 전단지 받는 것이 자존감 배터리 고속 충전이다. (그분이 1초라도 먼저 집에 갈 수 있기에)
- 쓰레기를 버리지 않는 것이 자존감 배터리 일반 충전이다.
- 사랑의 전화 카운슬러 봉사하는 것이 자존감 배터리 고속 충전이다.
- 사랑의 전화 후원하는 것이 자존감 배터리 고속 충전

이다.

- 주말마다 유치부 봉사하는 것이 자존감 배터리 고속 충전이다.

- 지인 강사들 상담해 주는 것이 자존감 배터리 고속 충전이다.

- 물 7잔 마시는 것이 자존감 배터리 일반 충전이다.

- 탄산음료, 주스 줄이는 것이 자존감 배터리 일반 충전이다.

- 자기관리, 긍정의 모든 것이 자존감 배터리 일반 충전이다.

- 마트에서 물건 사고 계산할 때 점원이 편하게 바코드를 찍을 수 있도록 구매한 모든 제품 바코드를 보이게 올려놓으니 점원이 하는 말 "마트 10년 동안 고객님 같은 분은 처음이네요. 바코드가 보이게 해줘서 너무 편했습니다. 너무 감사합니다."라는 말에 "별말씀을요." 말해 주며 서로가 행복해지는 것이 자존감 배터리 고속 충전이다.

- 편의점 범죄 하루 42건이고 한해 15,000건이다. 편의점에서 일하시는 분들 고충을 덜어 주기 위해 박카스 사서 주는 것이 자존감 배터리 고속 충전이다.

혼자서 자존감 배터리 충전하기가 쉽지 않다. 보기에는 쉬워도 책 덮는 순간 쓰레기가 되기 때문이다. 그래서

자존감 주치의에게 관리를 받아야 한다. 세계 최초 자존
감 배터리 일반 충전, 고속 충전 하는 곳은 www.방탄
자기계발사관학교.com 세계 최초 150년 자존감 주치의
가 되어 준다.

♥ 최보규 방탄리더십 전문가의 자존감 충전 방법 습관
320가지! (3:7공식! 30% 유명한 리더, 성공한 리더가
말하는 공식 10가지 중에 30%인 3개만 벤치마킹하는
것이다. 나머지 70%는 시행착오, 대가 지불, 인고의 시
간을 통해서 자기의 경험을 누적시켜야 한다. 이것이 나
다운 방탄 리더 자존감 습관 쌓기 공식이다. 320가지
중 지금 바로 할 수 있는 3개 시작으로 자존감 충전 습
관 만들어 가길 바란다.)

1. 전신 장기기증
2. 유서 써놓기
3. 꿈 목표 설정
4. 영양제 챙기기
5. 꿀 챙기기
6. 계단 이용
7. 8시간 숙면
8. 취침 4시간 전 안 먹기
9. 기상 후, 자기 전 스트레칭 10분

10. 술, 담배 안 하기

11. 하루 운동 30분

12. 밀가루 기름진 음식 줄이기

13. 자극적인 음식 줄이기

14. 얼굴 눈 스트레칭

15. 박장대소 하루 2회

16. 기상 직후 양치질 물먹기

17. 물 7잔 마시기

18. 밥 먹는 중 물 조금만

19. 국물 줄이기

20. 밥 먹고 30후 커피 마시기

21. 기상 직후 책 들기

22. 한 달 책 15권 보기

23. 책 메모하기

24. 메모 ppt 만들기

25. SNS 캡처 자료수집

26. 강의 자료 항상 찾기

27. 좋은 글 점심때 보내기

28. 사랑의 전화 봉사

29. 주말 유치원 봉사

30. 지인 상담봉사

31. 강의 재능기부

32. 사랑의 전화 후원

33. 강의자료 주기

34. TV 줄이기

35. 부정적인 뉴스 줄이기

36. 솔선수범하기

37. 지인들 선물 챙기기

38. 한 달 한번 등산

39. 몸에 무리 가는 행동 안 하기

40. 하루 감사 기도 마무리

41. 탄산음료, 과일주스 줄이기

42. 아침 유산균 챙기기

43. 고자세

44. 스마트폰 소독 2번

45. 게임 안 하기

46. SNS 도움 되는 것 공유

47. 전단지 받기

48. 긍정, 멘탈 사용설명서 도구 스티커 나눠주기

49. 학습자 선물 주기

50. 강의 피드백 해주기

51. 자일리톨 원석 먹기 하루 3개

52. 찬물 줄이고 물 미온수 먹기

53. 소금물 가글

54. 알람 듣고 바로 일어나기

55. 오전 10시 이후 커피 먹기

56. 믹스커피 안 먹기

57. 강의 족보 주기

58. 강의 동영상 주기

59. 강의 녹음파일 주기

60. 블로그 좋은 글 나누기

61. 인스턴트 음식 줄이기

62. 아이스크림 줄이기

63. 빨리 걷기

64. 배워서 남 주자 실천(PPT)

65. 읽어서 남 주자 실천(책 속의 글)

66. 오른손으로 차 문 열기

67. 오손도손 오손 왼손 캠페인 전파하기

68. 운전 중 스마트폰 안 보기

69. 취침 전 30분 독서

70. 취침 전 30분 스마트폰 안 보기

71. 오늘이 마지막인 것처럼 섬기고 영원히 살 것처럼
    배우기

72. 자존심 신발장에 넣어 두고 나오기

73. 내가 받은 상처는 모래에 새기고 내가 받은 은혜는
    대리석에 새기기

74. 어제의 나와 비교하기

75. 어제 보다 0.1% 성장하기

76. 세상에서 가장 중요한 스펙? 건강, 태도 실천하기

77. 나방이 되지 않기

78. 마라톤 10주 프로그램 시작

79. 마라톤 5km 도전

80. 마라톤 10km 도전

81. 마라톤 하프 도전

82. 마라톤 풀코스 도전

83. 자기 전 5분 명상

84. 뱃살 스트레칭 3분

85. 아침 동기부여 사진 보내기 8시

86. 저녁 동기부여 사진 보내기 9시

87. 나의 1%는 누군가에게는 100%가 될 수 있다. 실천

88. 150세까지 지금 몸매, 몸 상태 유지 관리

89. 아침 달걀 먹기

90. 운동 후 달걀 먹기

91. 헬스장 등록

92. 오래 살기 위해서가 아니라 옳게 살기 위해 노력하
    는 사람이 되자

93. 남들이 하는 거 안 하기 남들이 안 하는 거 하기

94. 아침 결명자차 마시기

95. 저녁 결명자차 마시기

96. 폼롤러 스트레칭

97. 어제보다 나은 내가 되자

98. 남들이 안 하는 강의 분야 도전

99. 플랭크 운동

100. 스쿼터 운동

101. 계산할 때 양손으로 주고받고 인사

102. 명함 거울 선물 주기

103. 40살 되기 전 책 출간

104. 반 100년 되기 전 책 5권 집필하기

105. 유튜브[나다운TV] 강사심폐소생술

106. 유튜브[나다운TV] 나다운심폐소생술

107. 아.원.때.시.후.성.실 말 줄이기

108. 나다운 강사 책 유튜브 올려 함께 잘 되기

109. 리플렛으로 동기부여 시켜주기

110. 아침 8시 동기부여 메시지 만들어 보내기

111. 저녁 9시 동기부여 메시지 만들어 보내기

112. 어플 책 속의 한 줄에 책 내용 올리기

113. 책 내용 SNS 오픈

114. 3번째 책 원고 작업 시작

115. 4번째 책 자료수집

116. 뱃살관리 스트레칭 아침, 저녁 5분

117. 3번째 책 기획출판계약

118. 최보규강사사관학교 시작

119. 최보규강사사관학교 지회 원장 임명

120. 올 노(올바른 노력)공식 오픈

121. 행복, 방탄멘탈 공식 자자자자멘습긍 오픈

122. 생화 네 잎 클로버 선물 주기

123. 세바시를 통해 극단적인선택 예방 전파!

124. 세바시를 통해 자자자자멘습긍 사용설명서 전파!

125. 4번째 책 원고 시작 2021년 1월 츌간 목표!

126. 전염성이 강한 상황 왔을 때 대처하기 위한 준비!

127. 코로나19 극복을 위한 공적 마스크 독고 어르신들 주기!

128. 아내를 위해 앉아서 소변보기

129. 들어라 하지 말고 듣게 하자

130. 좋은 사람이 되지 말고 좋은 사람 되어주자.

131. 좋아하게 하지 말고 좋아지게 하자

132. 보여주는(인기)인생을 사는 것보다 보여지는(인정)인생을 살아가자.

133. 나 이런 사람이야 말하지 않아도 이런 사람이구나 느끼게 하자.

134. 마음을 얻으려 하지 말고 마음을 열게 하자.

135. 믿으라 하지 말고 믿게 하자

136. 나에 행복 0순위는 아내의 행복이다! 일어나서 자기 전까지 모든 것 아내에게 집중!

137. 아내 말을 잘 듣자! 하는 일이 잘 된다!

138. 아버지가 어머니에게 이렇게 대했으면 하는 남편이 되겠습니다. 매형들이 누나들에게 이렇게 대했으면 하는 남편이 되겠습니다.

139. 내 몸은 아내거다. 빌려 쓰는 거다! 담배, 술, 몸에 무리가 가는 모든 것 자제 하고 건강관리, 자기관리 하겠습니다.

140. 아내의 은혜를 보답하기 위해 머리, 가슴, 몸, 돈으로 실천하겠습니다!

141. 아내에게 받은 사랑(내조) 보답하기 위해 머리, 가슴, 몸, 돈으로 실천하겠습니다.

142. 아내를 몸, 마음, 돈으로 평생 웃게 해서 호강시켜 주겠습니다.

143. 아내를 존경하겠습니다. 세상에 아내 같은 여자 없습니다.

144. 아내 빼고는 모든 여자는 공룡이다! 정신으로 살겠습니다.

145. 많은 사람들에게 인정받는 남편이 아닌 아내에게 인정받는 남편이 되기 위해 먼저 맞춰가는 남편이 되겠습니다.

146. 아내에게 무조건 지겠습니다.
이기려 하지 않겠습니다. 아내 앞에서는 나직성자체를 내려놓겠습니다. (나이, 직급, 성별, 자존심, 체면)

147. 지저분한 것(음식물 쓰레기, 화장실 청소)다 하겠습니다.

148. 함께하는 한 가지를 위해 개인 생활 10가지를 감

수하겠습니다.

149. 최강자 학습지 시작 (최보규의 강사학습지, 자기계발학습지)

150. 홈코 시작(집에서 화상 1:1 케어)

151. 불자의 인생 시작

152. 나는 복덩어리다. 나는 운이 좋은 사람이다.

153. 베스트셀러 3권 달성 노하우 책쓰기 교육 시작

154. 유튜브, 유튜버 100년 하는 노하우 교육 시작

155. 방탄멘탈마스터 양성 시작

156. 나다운 방탄멘탈 책으로 극단적인 선택 줄이기

157. 아침 8시, 저녁 9시 방탄멘탈공식 SNS 공유

158. 5번째 책 2022년 나다운 방탄사랑

159. 2023 나다운 방탄멘탈 2

160. 2024 나다운 책 쓰기(100년 가는 책)

161. 2025 유튜버가 아니라 나튜버
    (100년 가는 나튜버)

162. 2026 나다운 강사3(Q&A)

163. 2027 나다운 명언

164. 2029 나다운 인생(50살 자서전)

165. 줌 화상 기법 강의, 코칭(최보규줌사관학교)

166. 언택트(비대면)시대에 맞게 아날로그 방식 80%를 디지털 방식 80%로 체인지

167. 변기 뚜껑 닫고 물 내리기

168. 빨래개기

169. 요리하기, 요리책 내기 위한 자료 수집

170. 화장실 물기 제거

171. 부엌 청소, 집 청소, 화장실 청소

172. 사랑해 100번 표현하기

173. 아내에게 하루 마무리 안마 5분 해주기

174. 헌혈 2달에 1번

175. 헌혈증 기부

176. 네 번째 책 행복 히어로 책 출간

177. 극단적인 선택률, 이혼율 낮추기 위한 교육 시작

178. 행복률 높이기 위한 교육 시작

179. 다섯 번째 책 원고 작업 시작

180. 여섯 번째 책 자료 수집

181. 운전 중 양보 해 줄 때, 받을 때 목례로 인사하기.

182. 다섯 번째 책 나다운 방탄습관블록 출간

183. 습관사관학교 시스템 완성

184. 습관 코칭, 교육 시작

185. 아침 8시, 저녁 9시 습관 메시지 sns 공유

186. 습관 전문가 되어 무료 케어 상담 시작

187. 습관 콘텐츠 유튜브<행복히어로>에 무료 오픈

188. 여섯 번째 책 원고 작업 시작

189. 최보규상(대한민국 노벨상) 버킷리스트 설정

190. 2037년까지 운영진, 자금(상금), 시스템 완성 목표

설정

191. 최보규상을 1,000년 동안 유지하기 위한 공부

192. 일곱 번째 자존감 책 원고 작업

193. 여덟 번째 책 쓰기 책 자료 수집, 공부

194. 앉아서 일할 때 50분의 한번 건강 타이머 누르기

195. 세계 최초 자기계발쇼핑몰

　　 (www.자기계발아마존.com)

196. 온라인 건물주 분양 시작

　　 (월세, 연금성 소득 올릴 수 있는 시스템)

197. 일곱, 여덟 번째 책 축간

　　 (나다운 방탄자존감 명언 Ⅰ,Ⅱ)

198. 자기계발코칭전문가 1급, 2급 자격증 교육 시작

199. 방탄자기계발사관학교 Ⅰ,Ⅱ,Ⅲ,Ⅳ 4권 출간

200. 2021년 목표였던 9권 책 출간 달성!

201. 하루 3번 호흡 스펙 습관 쌓기 시작

　　 (코 8초 마시고, 5초 멈추고, 입으로 8초 내뱉기)

202. 장모님께 출간 한 책 12권 드리기

203. 2022년 최보규의 책 쓰기9 원고 작업 시작

204. 100만 프리랜서들 도움주기 위한 프로젝트 시작

205. 방탄 자존감 코칭 기술

206. 방탄 자신감 코칭 기술

207. 방탄 자기관리 코칭 기술

208. 방탄 자기계발 코칭 기술

209. 방탄 멘탈 코칭 기술

210. 방탄 습관 코칭 기술

211. 방탄 긍정 코칭 기술

212. 방탄 행복 코칭 기술

213. 방탄 동기부여 코칭 기술

214. 방탄 정신교육 코칭 기술

215. 꿈 코칭 기술

216. 목표 코칭 기술

217. 방탄 강사 코칭 기술

218. 방탄 강의 코칭 기술

219. 파워포인트 코칭 기술

220. 강사 트레이닝 코칭 기술

221. 강사 스킬UP 코칭 기술

222. 강사 인성, 멘탈 코칭 기술

223. 강사 습관 코칭 기술

224. 강사 자기계발 코칭 기술

225. 강사 자기관리 코칭 기술

226. 강사 양성 코칭 기술

227. 강사 양성 과정 코칭 기술

228. 퍼스널브랜딩 코칭 기술

229. 방탄 리더십 코칭 기술

230. 방탄 인간관계 코칭 기술

231. 방탄 인성 코칭 기술

255. 유튜브 멘탈 코칭 기술

256. 유튜브 습관 코칭 기술

257. 유튜브 목표, 방향 코칭 기술

258. 유튜브 동기부여 코칭 기술

259. 유튜브가 아닌 나튜브 코칭 기술

260. 유튜브 영상 제작 코칭 기술

261. 유튜브 영상 편집 코칭 기술

262. 유튜브 울렁증 극복 코칭 기술

263. 유튜브 썸네일 디자인 제작 코칭 기술

264. 유튜브 콘텐츠 제작 코칭 기술

265. 유튜브 수입 연결 제작 코칭 기술

266. 유튜브 영상 홍보 코칭 기술

267. 홈페이지 무인시스템 연결 제작 코칭 기술

268. 홈페이지 자동 결제 시스템 제작 코칭 기술

269. 홈페이지 비메오 연결 제작 코칭 기술

270. 홈페이지 렌탈 시스템 제작 코칭 기술

271. 홈페이지 디자인 제작 코칭 기술

272. 홈페이지 제작 코칭 기술

273. 재능마켓 크몽 PDF 입점 코칭 기술

274. 재능마켓 크몽 강의 입점 코칭 기술

275. 재능마켓 크몽 이미지 디자인 제작 코칭 기술

276. 재능마켓 크몽 입점 영상 제작 코칭 기술

277. 재능마켓 크몽 입점 영상 편집 코칭 기술

278. 재능마켓 크몽 VOD 입점 코칭 기술

279. 클래스101 영상 입점 코칭 기술

280. 클래스101 PDF 입점 코칭 기술

281. 클래스101 이미지 디자인 제작 코칭 기술

282. 클래스101 영상 제작 코칭 기술

283. 클래스101 영상 편집 코칭 기술

284. 탈잉 영상 입점 코칭 기술

285. 탈잉 PDF 입점 코칭 기술

286. 탈잉 이미지 디자인 제작 코칭 기술

287. 탈잉 영상 제작 코칭 기술

288. 탈잉영상 편집 코칭 기술

289. 탈잉 VOD 입점 코칭 기술

290. 클래스U 영상 입점 코칭 기술

291. 클래스U 영상 제작 코칭 기술

292. 클래스U 영상 편집 코칭 기술

293. 클래스U 이미지 디자인 제작 코칭 기술

294. 클래스U 커리큘럼 제작 코칭 기술

295. 인클 입점 코칭 기술

296. 자신 분야 콘텐츠 제작 코칭 기술

297. 자신 분야 콘텐츠 컨설팅 코칭 기술

298. 자기계발코칭전문가 1시간 ~ 1년 코칭 기술

299. 강사코칭전문가, 리더십코칭전문가 1시간 ~ 1년
코칭 기술

300. 온라인 건물주 되는 코칭 기술

301. 강사 1:1 코칭기법 코칭 기술

302. 전문 분야 있는 사람 1:1 코칭 기법 코칭 기술

303. CEO, 대표, 리더, 협회장 품위유지의무 코칭 기술

304. 은퇴 준비 코칭 기술

305. 2023년 나다운 방탄리더십 1, 2, 3, 4, 5 출간

306. 나다운 방탄리더십 아침, 저녁 메시지 시작

307. 강사코칭전문가 자격증 시스템 시작

308. 방탄 리더십 원고 작업 시작

309. 방탄 리더 자존감 원고 작업 시작

310. 방탄 리더 멘탈 원고 작업 시작

311. 방탄 리더 습관 원고 작업 시작

312. 방탄 리더 행복 원고 작업 시작

313. 방탄 리더 자기계발 원고 작업 시작

314. 방탄 리더 코칭 원고 작업 시작

315. 마트에서 구입한 물건들 바코드 정렬해서 올리기

316. 장모님 머리 염색해 주기

317. 처남 금연, 금주 도와주기

318. 한 해 시작할 때 습관 영상 업로드

319. 결혼기념일 뺏지, 명찰 제작

320. 뒤꿈치 들기 운동 시작

작은 일도 무시하지 않고 최선을 다해야 한다.

작은 일에도 최선을 다하면 정성스럽게 된다.

정성스럽게 되면 겉에 배어 나오고

겉에 배어 나오면 겉으로 드러나고

겉으로 드러나면 이내 밝아지고

밝아지면 남을 감동시키고

남을 감동시키면 이내 변하게 되고 변하면 생육 된다.

그러니 오직 세상에서 지극히 정성을 다하는 사람만이

나와 세상을 변하게 할 수 있는 것이다.

<중용 23장>

자존감 배터리 일반 충전   자존감 배터리 고속 충전

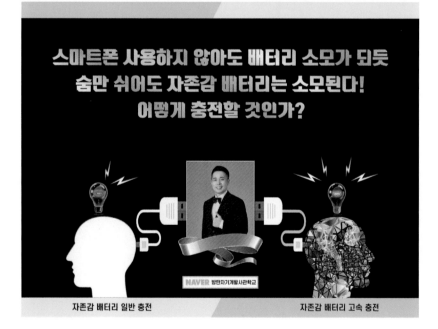

자존감 배터리 일반 충전   자존감 배터리 고속 충전

★ 모든 리더의 24시간은 같지만 질, 농도, 결과는 다르게 만드는 리더 자존감!

다음은 리더의 자존감이 왜 중요한지 깨닫게 해주는 내용이다.

훌륭한 지도자의 공통된 특징 9가지
1. 감정의 중요성을 인식한다.
직원들과의 관계를 존중하고 그들의 감정을 중요시하는 지도자는 목표를 이루는데 급급한 사람들보다 촉망받을 수밖에 없다. 또 실제로 직원들을 이해하는 과정에서 오히려 더 좋은 결과가 나오기도 한다.

2. 위기에 닥쳤을 시 강한 면모를 보인다.
어려운 일이 생겼을 시 구성원들은 총대를 메고 그들을 이끌어줄 결단력 있는 지도자를 갈망한다.

3. 직원들이 무엇을 원하는지를 알고 있다.
연구 결과에 따르면 사람들은 성과를 이루거나 인정받을 때, 그리고 일종의 책임감으로 인하여 자신의 직업에 머무르고자 한다. 반면 그들은 상사나 직업 환경, 또는 엄한 회사 정책에 환멸을 느껴 회사를 떠난다. 훌륭한 지도자들은 이러한 직원들의 특성을 파악하여 그들이 원하는 배경을 제공, 결국 자신의 편으로 만든다.

4. 상대방의 장점을 토대로 평가한다.
다재다능한 사람을 찾다 보면 결국 뭐 하나 특출난 부분 없는 어중이떠중이로 가득 찰 것이다. 따라서 훌륭한 지도자들은 상대방의 장점을 부각하여 평가하는 동시에 부족한 점을 보완하고자 하는 의지가 넘치는 사람들을 선호한다.

5. 자만하지 않는다.
성공한 지도자들은 자신의 업적을 자랑하지 않는다. 자

신이 가진 것에 만족하는 순간 더 많은 것을 위해 도약할 의지를 잃기 때문이다.

6. 구성원을 관리하기보다는 이끈다.
구성원 내의 질서와 일관성을 중시하다 보면 진정한 지도자가 될 수 없다. 훌륭한 지도자들은 관리보다는 구성원을 독려하고 변화를 모색할 수 있도록 자극한다.

7. 자신의 한계를 인정한다.
진정한 지도자들은 자신의 부족한 점을 인정하고 그 부분을 채워줄 수 있는 사람들을 찾는다.

8. 권위와 따스함을 한꺼번에 가진다.
구성원들은 권위 있는 동시에 따뜻한 지도자를 원한다. 이 둘 중 하나만 가지고 있다면 정이 없거나 기량 없는 지도자로 인식된다.

9. 직원들 스스로 자신의 직업에 대한 중요성을 인식하게 한다. 훌륭한 지도자는 구성원들의 존재와 업적이 집단 전체에 얼마나 큰 영향을 미치는지 스스로 일깨우게 한다. 이는 결국 직원들이 더욱 생산적으로 일을 할 수 있도록 동기를 부여한다.

<코리아헤럴드 김민진 기자>

성공한 리더들, 나다움이 있는 사람들, 성공자, 행복한 사람들, 꿈을 이룬 사람들, 인생을 사는 이유를 알고 있는 사람들의 공통점이 있다. 전부 자존감이 높다.

대부분 사람이 착각하는 게 있다. 성공해서 결과를 내서 자존감이 높은 게 아니다. 자존감이 높아야 결과를 내고 자존감이 높아야 성공을 하는 것이다. 자존감이 높아야만 어려운 시기 힘든 시기를 극복한다. 그런데 대부분 사람은 견디기만 한다.

견디는 것과 극복하는 건 엄청나게 차이가 있다.

상황이 벌어졌을 때 견디는 것은 "시간이 해결해 주겠지?"라는 말을 하면서 아무것도 안 하고 무작정 기다리는 것이다.

극복은 벌어진 상황을 직시하고 받아들이고 했던 방식에서 변화를 주어 다른 방법으로 행동하면서 극복하는 것이다.

지금 시대 비대면 시대, 디지털 시대, 고유가 시대, 챗GPT 시대 힘들고 지치는 시대다.
비대면 시대, 힘든 시대 누군가는 잠잠해지기만을 기다린다. 시간만 때우고 있는 리더들이 많다. 언제 잠잠해지냐? 언제 일상생활로 돌아가냐?
아무것도 안 하면서 아무것도 변화를 안 주면서 대책 없이 기다리기만 하면 안 된다. 당연히 이런 말 하면 반박하는 리더가 있을 것이다. "아무것도 할 수 없는 상황인데 짜식아~~"

당연히 견디는 것도 생존도 아무나 못한다. 견디는 것은 아무나 못하지만 시간의 흐름 속에서 변화 없이 기다리기만 하면 너무 시간 낭비가 된다. 빛의 속도로 변하는 세상 속에서 앞으로 어떻게 변할지 알 수 없는 세상 속에서 더 앞으로 힘들면 힘들었지 덜하지 않는 세상 속에서 무작정 좋아지기만을 잠잠해지기만을 기다린다는 것은 리더 인생, 리더가 책임져야 할 사람들의 인생까지 방치한다는 것이다.

상황을 어떻게 직시하고 견딜 것인가 극복할 것인가 이런 마인드, 태도에 따라서 엄청나게 달라진다.
자존감이 높은 리더는 비대면 시대, 디지털 시대 "10년 후에 올 것이 지금 왔다 앞당겨진 것뿐이다 어떻게 하면 내 분야 비대면, 디지털로 접목을 시킬까?" 이런 생각으로 배우고 찾고 행동한다.
전자 견디는 리더와 후자 극복하려는 리더의 차이점은 자존감 차이라는 것이다.

자존감이 높아야만 극복하려고 상황을 직시하고 헤쳐 나가려고 행동을 한다.

자존감이 낮으면 항상 기다리고, 안주하고, 좋아지기만을 기다리는 등 시간을 때우는 게 더 많다.

그래서 자존감이 중요하다고 목이 터져라 말을 하는 것이다.

재능, 스펙, 학벌 차이로 바라보는 시각이 달라지는 게
아니다. 자존감이 낮냐? 자존감이 높냐? 차이로 변화되
는 세상을 바라보는 리더의 시각이 달라진다.

어렵고 힘든 상황이 닥쳤을 때 자존감이 낮은 리더들은
가장 먼저 방법이 아닌 핑계를 찾는다.
"상황이 이런데 내가 뭘 할 수 있겠어? 시간이 해결해
주겠지 하던 대로 하면서 기다려 보자"

자존감이 높은 리더는 "어떻게 하면 할 수 있을까?" 방
법을 찾는다.

"어제와 같은 방법으로 하던 대로 하면 답이 안 나온다. 어제와 다른 방법을 시도해 보자! 찾아보자! 배워 보자!" 누구에게 물어봐도 자존감이 높은 리더의 태도를 가지고 싶어 한다. 후자와 같은 태도가 방탄 리더 자존감이다.

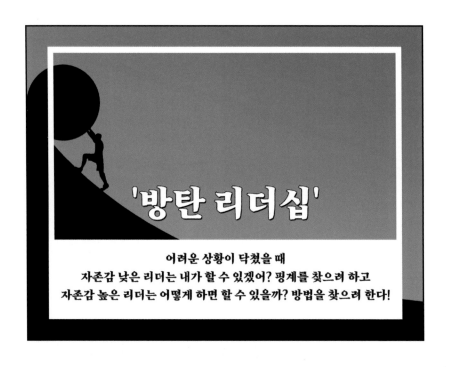

자존감이 낮은 리더, 자존감이 높은 리더 차이를 이해하기 위한 비교를 필자의 7G(출판사 대표, 작가, 심리 상담사, 코칭 전문가, 강사, 유튜버, 한집의 가장)직업 중에 본업인 강사 직업으로 비교해주겠다.

자신 분야를 비교하면서 본다면 좀 더 현실적으로 와닿

을 것이고 "자신 분야를 어떻게 하면 변화, 성장, 업그레이드를 할 수 있을까?"라는 태도로 본다면 인생의 힌트를 얻어 갈 수 있을 것이다.

2022년 횟수로 3년 차 비대면 시대다. A강사는 비대면 시대 전 평균 한 달에 20건 강의를 하는데 강의가 줄어서 한 달에 5건~10건 밖에 되지 않아 아르바이트와 가끔 비대면 강의를 하면서 변화 없이 버티기만 하는 강사가 있다.

잠잠해지기만을 기다리지만 이러지도 저러지도 못하는

상황 "아~~ 지금이라도 비대면 콘텐츠를 제작하고 디지털 콘텐츠 제작을 배워서 내 분야 강의 영상을 디지털로 팔아야 하나? 온라인으로 팔아야 하나? 돈이 많이 들어갈 텐데 직접 만들어 볼까? 독학할까? 나 컴맹인데? 하던 방법으로 하자. 비대면 콘텐츠 아 몰라~~ 디지털 콘텐츠 아 몰라~~ 지금 상황 점점 좋아질 거야. 나아지겠지. 기다리자. 변화하면 어렵고 힘드니 하던 대로 하면서 그냥 기다리자...

비대면 1년 차 때 걱정, 고민을 비대면 3년 차인데도 똑같이 걱정, 고민만 하고 있다.

필자도 강사 직업을 하는 사람이지만 누워서 침 뱉기일 수도 있는데 이런 강사들이 90%다.

강사라는 직업이 어떤 직업인가? 누군가에게 동기부여를 시켜 주고 누군가에게 변화를 주고 행동으로 옮기게끔 도와주는 직업이다.

그런데 자신은 변화, 성장은 하지 않으면서 배우지 않으면서 입으로만 변화해라? 성장해라? 시대에 맞게 준비해라? 말만 하는 강사가 90%다.

그 강사들을 무시하는 게 아니다. 오해하지 말고 들었으면 한다. 각자 위치에서 열심히 하는 데, 올바른 노력을 해야 하는 데 노오력만 하고 있다.

자존감이 낮으면 노오력만 하는 것이고 자존감이 높아야만 올바른 노력을 할 수 있는 것이다.

B강사는 3년 전부터 무엇을 준비했는지 차근차근 설명하겠다. B강사가 최보규 방탄리더십 전문가다. 필자가 어떻게 비대면 시대를 견디는 것이 아니라 극복했는지 잘 참고하길 바란다.

B강사 비대면 시대 3년 전 상황 "어라 점점 비대면으로 가고 있네? 대면 강의만 10년 동안 했는데 비대면 강의 적응 안 되는데...디지털, 화상 강의 적응 안 되는데..나 컴맹인데...마우스밖에 움직일 줄 모르는데...금방 잠잠해질 줄 알았는데...이거 장난 아닌데 강사 직업 위태위태한데...이러다가 10년 동안 강사 일했던 인고의 시간, 노력, 경력, 경험들 다 쓰레기 되겠는데...다른 직장 알아봐야 되는 거 아닌가..."

"더 늦기 전에 디지털 콘텐츠, 온라인 콘텐츠로 할 수 있는 거 알아봐야 하겠는데...어떻게 하면 할 수 있을까? 최소의 비용으로 최대의 효과를 낼 수 있고 내가 가지고 있는 자원과 능력으로 할 수 있는 게 무엇일까? 그래! 유튜브를 먼저 제대로 해보자! 편집 기술 하나도 없지만 일단 부딪혀보자!" "처음 출간한 나다운 강사 1(강사 백과사전), 나다운 강사 2(강사 사용 설명서) 책 홍보도 할 겸 더 나아가 자기계발, 동기부여가 필요한 사람들, 시작하는 강사, 코칭 받았던 강사들에게 조금이나마 도움을 주기 위해서 해보자!

필자는 독학으로 편집을 배우고 유튜버를 시작했다. 세 번째 책《나다운 방탄멘탈》책을 출간하고 비대면 코칭 콘텐츠를 제작했다. 네 번째《행복히어로》책 출간하고 전자책을 팔 수 있는 재능마켓 다섯 곳에 독학으로 승인받아 판매를 시작했다. 다섯 번째《나다운 방탄습관블록》책을 출간하고 다섯 번째 책으로 비대면 코칭 콘텐츠를 만들었다. 여섯 번째《나다운 방탄카피사전》출간하고 방탄자존감 콘텐츠 제작했다. 일곱 번째 여덟 번째《나다운 방탄자존감 I》,《나다운 방탄자존감 II》출간해서 방탄자존감 세트 콘텐츠 제작했다.

《자기계발 아마존》홈페이지를 제작해서 움직이지 않아도 돈을 벌 수 있는 무인 시스템을 제작해서 온라인 건물주가 되었다.

9, 10, 11, 12번째 책인《방탄자기계발 사관학교 I , II,

Ⅲ,Ⅳ》책을 출간하여 방탄자기계발사관학교 10가지 시스템을 완성 했다.

13, 14, 15, 16, 17, 18번째 책인《자기계발 코칭 전문가 1, 2, 3, 4, 5, 6》책을 출간하여 국가등록 민간자격증인 자기계발 코칭 전문가 자격증 시스템을 만들었다.

19, 20, 21, 22, 23번째 책인《나다운 방탄리더십 1, 2, 3, 4, 5》24, 25, 26, 27, 28, 29, 30번째 책인《방탄리더십 1》,《방탄 리더 자존감 2》,《방탄 리더 멘탈 3》,《방탄 리더 습관 4》,《방탄 리더 행복 5》,《방탄 리더 자기계발 6》,《방탄 리더 코칭 7》이 외에 종이책 150권, 전자책 250권 총 400권 출간하여 국가등록 민간자격증인 리더십 코칭 전문가 자격증 시스템을 만들어 온라인, 디지털 콘텐츠 연결시켰다. 이미지로 보면 좀 더 이해가 될 것이다.

방탄자기계발사관학교

아무나 방탄자기계발전문가가 될 수 있었다면 난 절대로 방탄자기계발사관학교를 선택하지 않았을 것이다.

방탄자기계발사관학교 홈페이지 무인시스템

방탄자기계발사관학교 소개
1,000,000원

구매하기

PPT로 책 쓰기, 책 출간
200,000원

구매하기

자신 분야 6가지 수입을 창출 방법
200,000원

구매하기

방탄 사랑 사랑 사용 설명서 사랑도 스펙이다
200,000원

구매하기

Google 자기계발아마존　　▶YouTube 방탄자기계발　　NAVER 방탄자기계발사관학교　　NAVER　　최보규

Best 6

검증된 방탄 PT 분야

리더 인간관계 PT

BEST Seller

자격증 발급기관

2

<저자 최보규>

앞도적 차이를 만드는 방탄 PT!
앞서가는 사람은 방탄 PT 받는다!

☑ 7대 인간관계 PT	☑ 인간관계 멘탈 PT
☑ 인간관계 기본기 PT	☑ 인간관계 습관 PT
☑ 인간관계 태도 PT	☑ 인간관계 긍정 PT
☑ 인간관계 사명감 PT	☑ 인간관계 감정컨트롤 PT
☑ 인간관계 자존감 PT	☑ 인간관계 행복 PT
☑ 인간관계 자신감 PT	☑ 인간관계 스피치 PT
☑ 인간관계 자기관리 PT	☑ 인간관계 love PT
☑ 인간관계 자기계발 PT	☑ 인간관계 Smile PT

Best 6

검증된 방탄 PT 분야

자기계발 방탄 PT

4

<저자 최보규>

자격증 발급기관

앞도적 차이를 만드는 방탄 PT!
앞서가는 리더는 방탄 PT 받는다!

- ☑ 7대 자기계발 PT
- ☑ 방탄 기본기 PT
- ☑ 방탄 태도 PT
- ☑ 방탄 사명감 PT
- ☑ 방탄 자존감 PT
- ☑ 방탄 자신감 PT
- ☑ 방탄 자기관리 PT
- ☑ 방탄 자기계발 PT

- ☑ 방탄 멘탈 PT
- ☑ 방탄 습관 PT
- ☑ 방탄 긍정 PT
- ☑ 방탄 인간관계 PT
- ☑ 방탄 행복 PT
- ☑ 방탄 스피치 PT
- ☑ 방탄 love PT
- ☑ 방탄 Smile PT

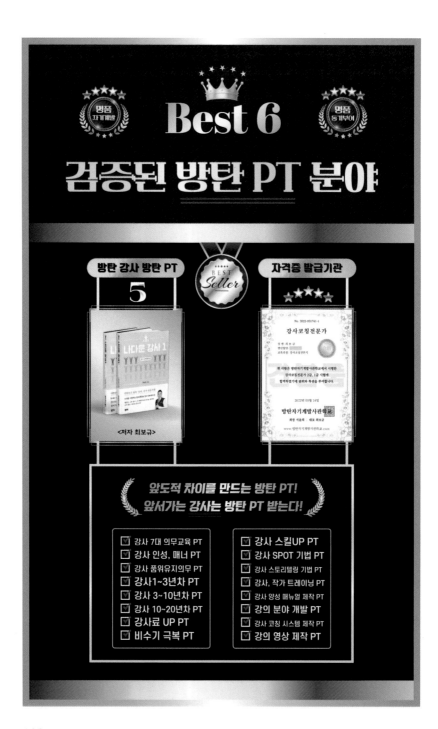

Best 6

검증된 방탄 PT 분야

책 쓰기, 출간 방탄 PT

<저자 최보규>

자격증 발급기관

앞도적 차이를 만드는 방탄 PT!
앞서가는 리더는 방탄 PT 받는다!

- ☑ 작가 7대 의무교육 PT
- ☑ 책 쓰기 동기부여 PT
- ☑ 책 출간 동기부여 PT
- ☑ 책 쓰기 10G PT
- ☑ 리더 책 쓰기 PT
- ☑ 강사 책 쓰기 PT
- ☑ 일반인 책 쓰기 PT
- ☑ 6가지 수입 창출 PT

- ☑ 온라인 건물주 책 출간 PT
- ☑ 작가 품위유지의무 PT
- ☑ 강사 되기 위한 책 출간 PT
- ☑ 강의 교안으로 책 출간 PT
- ☑ 출간한 책으로 교안 작업 PT
- ☑ 출간한 책으로 영상제작 PT
- ☑ 100년 지속 할 수 있는 기술력을 배우는 책 쓰기, 출간

앞에 있는 내용을 정리 해주겠다.

A강사는 비대면 시대 3년 동안 극복이 아닌 시간의 흐름 속에서 버티고 있었다. 변하지 않고 잠잠해지기만을 기다리고 있다. 강사들 90%가 이렇게 하고 있다.

90% 강사를 무시하는 게 아니다. 앞에서도 말했듯이 오해하지 말고 들었으면 한다. 너무나도 안타까워서 말을 하는 것이다. 극단적으로 말하면 A강사들은 큰 성장, 변화 없이 아무것도 하지 않았다. 나이는 아무 노력, 변화 없이도 시간만 지나면 먹듯 강사도 경력만 쌓인 것이다. B강사는 비대면 시대 3년 동안 버티기가 아니라 극복하기 위해서 "어떻게 하면 할 수 있을까?"라는 태도로 극복하기 위한 방법을 찾기 위해 행동을 했다.

책을 출간하고 디지털 콘텐츠를 제작하고 다시 책을 출간하고 다시 디지털 콘텐츠를 제작하고 유튜브를 하고 전자책을 만들어 재능마켓에 팔고 온라인 콘텐츠로 팔았다. A강사 와 B강사의 결정적인 차이가 무엇인지 아는가? 재능과 스펙이 B강사보다 더 대단한 사람들은 많았다. 실행력 차이? 인내력 차이? 아니다. 단언컨대 자존감이 낮냐, 높냐 차이다. 자존감이 낮으면 어려운 상황이 닥쳤을 때 순간 힘들고 어려운 것만 생각하고 안주를 한다.

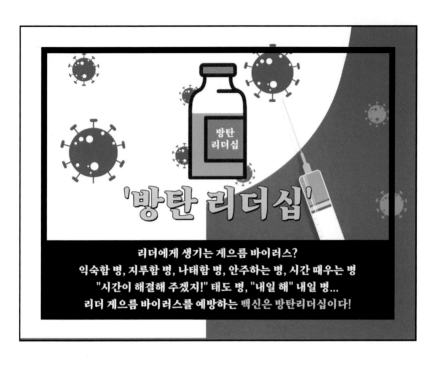

'방탄 리더십'

리더에게 생기는 게으름 바이러스?
익숙함 병, 지루함 병, 나태함 병, 안주하는 병, 시간 때우는 병
"시간이 해결해 주겠지!" 태도 병, "내일 해" 내일 병...
리더 게으름 바이러스를 예방하는 백신은 방탄리더십이다!

20,000명 심리 상담, 코칭 하면서 알게 된 것 중 하나는 자존감 낮은 리더들은 항상 이런 말을 많이 한다. "왜 나만 힘들어? 왜 나에게만? 내가 뭘 잘못했기에? 직원 중에 인재가 있었다면...부모님이 가진 게 많았더라면...내가 재능이 없어서...학벌이 없어서..." 탓만 하면서 자신 잘못은 생각 안 하고 세상 탓, 부모 탓, 자녀 탓, 탓탓탓탓탓만 하면서 오늘 하루만 사는 사람이 많은데 내일, 한 달 뒤, 일 년 뒤를 생각하겠는가? 당연한 결과다.

자존감 높은 리더들은 어려운 상황이 닥쳤을 때 "그래,

지금 힘들지만 어렸지만 그럼에도 불구하고 나만 힘든 거 아니다! 내 분야도 힘들지만 어떻게 하면 극복할 수 있을까? 내가 가지고 있는 자원 돈, 스펙, 학벌, 재능은 없지만...하는 데까지 해보자! 까짓것 못하면 좀 어때! 일단 해보자! 일단 배우자! 일단 행동하자! 내가 힘들어 하는 모습 보이면 직원들은 불안해하고 더 힘들어할 거다. 직원들을 위해서라도 힘내자"

다음은 자존감이 높은 리더의 인맥 관리 노하우를 알게 해주는 스토리텔링이다.

나의 VIP는 누구인가?
오케이아웃도어닷컴의 장성덕 대표님을 만나 여쭤보았다.
"대표님은 인맥 관리 어떻게 하세요?"
충격적인 대답이 돌아왔다.
"저는 인맥 관리 안 합니다."
깜짝 놀라서 왜 그런지 여쭤보니 확실한 기준이 있었다.
"신뢰로 일하면 관리하지 않아도 됩니다. 평소 거래처에 선물을 보내거나 임원을 만나지 않는데, 그 이유는 결제일을 준수하고 좋은 비즈니스 파트너가 되기 위해 노력하기 때문입니다. 은행 지점장이 먼저 연락을 해와도 되도록이면 거절합니다. 대출받을 일 없는 튼튼한 기업을 만들면 되기 때문입니다."

주변에 사업하는 사람들 중 인맥에 목숨 거는 사람들이 많지만, 장성덕 대표님은 튼튼한 기업을 만들어주는 가장 소중한 VIP는 은행 지점장도 거래처도 아닌 바로 '직원'이라는 신념을 갖고 있었다. 그래서 외부 미팅을 자제하고, 언제나 사무실에서 미팅을 원하는 직원이면 누구나 찾아올 수 있도록 한다고 했다.

《관계 정리가 힘이다》

자존감 낮은 리더는 외부 고객에 집착하고 자존감이 높은 리더는 내부 고객인 직원에게 집중한다.

나다운 리더십, 나다운 인생, 나다운 행복을 만드는 것은 스펙, 돈, 학벌, 재능이 아닌 자존감이 낮느냐, 높느냐로 만들어진다.

★ 4차 산업 시대는 4차 리더 자존감인 방탄 리더 자존
감은 선택이 아닌 필수!

1차 산업 시대는 1차 자존감, 2차 산업 시대는 2차 자
존감, 3차 산업 시대는 3차 자존감, 4차 산업 시대는 4
차 자존감인 방탄 리더 자존감이다. 4차 리더 자존감인
방탄 리더 자존감으로 업데이트해야 하는데 20,000명
심리 상담, 코칭 하면서 알게 된 것 중 하나는 90%의
리더들이 1차, 2차, 3차 자존감에 머물러 있다. 안타까
운 현실이다.

자존감 업데이트를 하지 못하다 보니 삶이 더 힘들어지는 것이다. 앞으로의 시대는 나를 날카롭게 괴롭게 할 것이고 세상 현실 또한 힘들게 할 것이다. 삶이 힘들고 인간관계 속에서 상처를 받다 보니 힐링, 위로, 격려만 찾게 되어 극복해야 하는데 치유만 바라게 된다. 치유만 바라다보니 리더의 정신, 몸 상태가 나빠지는 악순환이 되어 가고 있다.

4차 산업 시대, AI 시대, 5G 시대 ~ 10G 시대, 챗GPT 시대뿐만 아니라 더 나아가서 앞으로의 시대는 상처가 났을 때 "호~~" 하고 치유 리더십에서 끝나면 안 된다.

후시딘, 마데카솔처럼 직접적으로 상처를 치료할 수 있는 치료 리더십을 해야 면역력이 생겨 극복을 할 수 있다.

"호~~" 하는 위로, 격려, 힐링이 필요 없다고 말하는 게 아니다. 위로, 격려, 힐링에 집착한다는 것이 문제다. 앞으로의 세상, 현실, 또라이들이 날카롭게 다가오면 다가왔지 덜하지는 않는다는 것을 이론적으로만 알지 대부분 사람들은 준비를 하지 않는다.

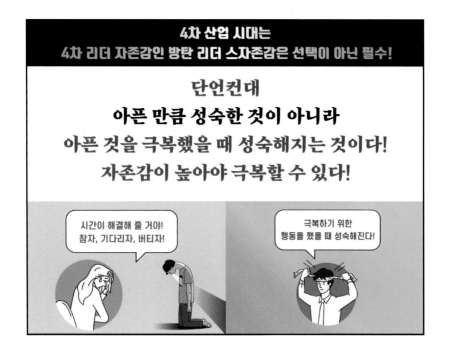

아픈 만큼 성숙해진다? 아프면 환자다. 아픈 것을 극복했을 때 비로소 성숙해진다. 아픈 만큼 성숙해지는 게

아니다. 시간의 흐름 속에서 성숙해지는 게 절대 아니다. 상처를 잘 받는 리더들 특징 중 하나는 자존감이 낮다는 것이다.

사소한 말에도 상처받았다고 말하며 힘들어한다. 그 상처가 아물기도 전에 또 다시 상처가 생긴다. 그래서 계속 악순환이 된다.

'방탄 리더십'

자존감이 낮은 리더는
"아픈 만큼 성숙해지는 것이다."라는 말을 자주 하고
자존감이 높은 방탄 리더는
"아픈 것을 극복할 때 비로소 성숙해진다."라는 말을 자주 한다.

세상, 현실 속 상처들? 직원들 상처, 팀원들 상처, 거래처 상처, 인간관계 상처, 부모에 대한 상처, 자녀에 대한 상처, 가족에 대한 상처, 연인에 대한 상처, 상사에 대한 상처, 사람들에 대한 상처... 상처를 안 받을 수가 없다.

그게 자연의 이치고 사람들 관계 속에서 자연스럽게 벌어지는 현상이다. 상처받았을 때 그때그때 어떻게 치료해야 할 것인가?

방탄 리더 자존감 학습, 연습, 훈련으로 치유가 아닌 치료를 해서 극복할 수 있다.

4차 산업 시대는 4차 리더 자존감인 방탄 리더 자존감으로 업데이트하여 방탄 리더 자존감 학습, 연습, 훈련으로 리더 인생을 다시 갱생하자.

★★★★
방탄 리더 자존감
학습, 연습, 훈련으로 리더 인생을 갱생!

> **갱생 (更生)**
> 마음이나 생활 태도를 바로잡아 본디의
> 옳은 생활로 되돌아가거나 발전된 생활로 나아감.

4차 산업 시대는 4차 리더 자존감!
방탄 리더 자존감 업데이트!

1차 산업혁명	2차 산업혁명	3차 산업혁명	4차 산업시대 방탄 리더 자존감
1차 자존감	**2차 자존감**	**3차 자존감**	**4차 자존감**

죽을 때까지 3가지? 빼고는
모든 것을 학습, 연습, 훈련해야 한다!

1. 죽음

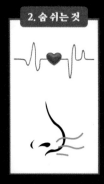

2. 숨 쉬는 것

3. 나이

학습, 연습, 훈련 반복!
자생능력
(혼자서 할 수 있는 능력)

양질전환 법칙!

리더 책 100권 출간

리더 책
2,000권 독서

20,000명
심리 상담, 코칭

45년간
리더 습관 320가지 만듦

★ 방탄 리더 자존감 학습, 연습, 훈련

숨을 거두는 날까지 학습, 연습, 훈련을 안 해도 자연스럽게 되는 세 가지? 첫 번째 죽음, 두 번째 숨 쉬는 것, 세 번째는 나이다.

학습, 연습, 훈련의 본질은 반복 숙달이다. 자생능력(스스로 할 수 있는 능력)이 생길 때까지 해야 한다. 양질 전환의 법칙(양적인 변화가 축적되면 질적으로 변화한다.)을 통해 필자가 결과를 만들어 냈던 것을 참고하기 바란다. 45년 동안 리더 습관을 320가지 만듦, 20,000명 심리 상담, 코칭, 책 2,000권 독서, 리더 자기계발 책 39권 출간!

방탄 리더 자존감 학습, 연습, 훈련은 선택이 아닌 필수로 해야 한다. 어떻게 하면 방탄 리더 자존감 학습, 연습, 훈련을 할 수 있을까? "세계 최초" 공개한다! 집중!

나다운 방탄 카피 사전
36P ~ 37P

사람은 누구나 꽃이다?

꽃길만 걸으세요? 함부로 말하지 마라! 자신 분야 꽃길만 걷기 위해서 얼마나 어마어마한 대가 지불, 시행착오를 감수할 것들이 많은지 아는가? "왜? 이렇게 진지하게 받아들이냐고요?" 진지하게 받아들여야 자신 분야의 꽃이 핀다. 20,000명 심리 상담, 코칭 하면서 꽃길의 본질을 알게 되었다. 꽃길을 걷기 위한 대가 지불을 준비하지 않은 사람은 불행해지고 준비하는 사람은 행복해진다는 것이다.

우리는 꽃 피는 날, 꽃길을 기다린다. 계절을 상징하는 꽃들이 언제 피는지 아는가?

동백나무 1~4월, 벚꽃 4~5월, 장미 5~6월, 해바라기 8~9월이다. 꽃이 피는 것을 보고 우리는 자신의 꽃(희망, 성공, 이루고 싶은 것, 꿈, 목표...)이 피기를 기다린다. 꽃이 그냥 피는 것 같지만 그렇지 않다. 많은 꽃 중에서도 살아남은 꽃이 피는 것이다.

우리는 자신 꽃을 피우기 위해 자신 분야에서 살아남기 위해서 어떤 시행착오, 대가 지불, 감수할 것, 절제, 변화, 성장, 학습, 훈련, 인내, 인고의 시간(무명시절)...견디고 있는가? 우리는 꽃이 피고 지고를 보면서 착각 하고 있다. 저 꽃들은 아무 힘듦 없이 피고 지는 것이라고 생각한다.

꽃 한 송이가 피기 위해서 많은 꽃이 피지 못한다는 사실을 모르고 눈에 보이는 것이 다인 것처럼 판단한다.
지금 자신은 자신에게 자신 분야의 꽃을 피우기까지 어떤 햇살(자신 분야 학습, 연습, 훈련), 물(자기관리), 바람(자기계발), 거름(책 읽기, 교육..), 영양분(피드백, 코칭, 상담...)을 주고 있는가? 그냥 나이 먹으면? 때가 되면? 로또 되면? 우리는 다 꽃이니까? 피겠지? 정신 차리세요!
햇살, 물, 바람, 거름, 영양분을 제때 주지 않으면 게으름 꽃, 슬럼프 꽃이 피어 자신의 꽃길을 가려서 어둡게 하며 꽃길이 깜깜해질 것이다.

《나다운 방탄 카피 사전》

리더의 꽃길?

리더가 자존감이 낮으면 "꽃길만 걸었으면" 희망 고문 하는 리더십이 나오고 리더가 자존감이 높으면 "꽃길만 걷다가는 아기 발이 되어 험난한 인생, 세상, 현실 자갈 길을 제대로 걷지 못한다."라는 정신의 리더십이 나온 다.

나다운 방탄 카피 사전
38P ~ 39P

100년 가는 친구 만드는 방법?

평생지기 친구 한 명만 있어도 성공, 행복한 인생이라고 한다. 100년 변치 않는 친구 만드는 방법 세계 최초 공개한다! 10년 지기? 20년 지기? 30년 지기? 평생지기? 가 있다. 친구를 표현할 때 평생지기 말을 한다.

어떻게 하면 10년, 20년, 30년, 평생을 지낼 수 있을까? 그것은 이기지 않고 지기 때문이다.

20,000명을 심리 상담, 코칭 하면서 알게 된 천기누설을 하겠다. 오래된 직원들과 함께하는 리더 특징, 친구가 많은 사람들 특징, 인간관계 잘하는 사람들 특징, 사

랑을 잘하는 사람들 특징은 나직성자체를 잘 내려놓는다는 것이다. (나직성자체: 나이, 직급, 성별, 자존심, 체면) 반대로 생각하면 오래된 직원이 없고 직원들이 계속 바뀌는 회사, 친구가 없거나, 인간관계, 사랑을 못 하는 사람, 리더들은 나직성자체를 내세운다는 것이다. 직원, 친구, 인간관계, 사랑...모든 관계를 잘 하고 싶은가? 나직성자체를 잘 내려놓는 학습, 연습, 훈련을 해야 한다. 나직성자체를 가정에서부터 내려놓는 학습, 연습, 훈련 해야만 집을 나올 때 신발장에 나직성자체를 넣고 나올 수 있다. 나직성자체도 잘 내려놓는 것도 스펙이다. 스펙이라는 태도가 있어야 학습, 연습, 훈련을 할 수 있다.

《나다운 방탄 카피 사전》

리더와 100년 함께 하는 직원 만드는 방법?

리더에게 가장 큰 고민은 경력자들과 오래 함께하는 것이다. 신입을 경력자가 될 때까지 시간, 돈, 열정을 쏟아 케어해주고 가르쳤는데 퇴사해버리면 가장 큰 리스크다. 새로운 사람이 많이 들어오는 게 중요한 것이 아니다. 있는 사람 관리를 잘해서 오래도록 함께하는 게 더 중요하다. 직원과 10년 지기, 20년 지기, 30년 지기...평생 지기가 되려면 여러 방법이 있겠지만 그중에서도 가장 기본인 나직성자체(나이, 직급, 성별, 자존심, 체면)를 잘 내려놔야 한다. 이기지 않고 잘 져주려면, 나직성자체를 잘 내려놓으려면 리더 자존감이 높아야 한다.

리더 자존감이 낮으면 "나갈 테면 나가라. 당신들만 손해지. 내가 쫄 줄 알고 나갈 테면 나가 봐. 당신들 없어도 돼. 새로운 사람 뽑으면 돼"라는 태도로 나직성자체를 내려놓지 않는다.

리더 자존감이 높으면 "아무리 잘 해줘도 나갈 사람은 나간다. 그럼에도 불구하고 오래도록 함께 하기 위해서 나부터 나직성자체 내려놓자, 작은 것부터 나직성자체 내려놓자, 지금부터 나직성자체 내려 놓자."라는 태도로 배우려고 하며 행동한다.

리더가 고급 인재와 100년 함께 하려면?

**리더는 나직성자체를 내세우면 안 된다!
나직성자체를 내세우지 않으려면
자존감 학습, 연습, 훈련을 해야 한다!**

나다운 방탄 카피 사전
58P ~ 59P

당신의 경쟁상대?

에버랜드에 경쟁상대는 롯데월드? 롯데월드에 경쟁상대는 에버랜드? 에버랜드에 경쟁상대는 롯데월드가 아니라 미세먼지, 코로나다! 이 말을 들으면 두 부류의 사람이 나온다.

첫 번째 부류 "그렇구나!" 땡! 끝!
두 번째 부류 "맞네! 맞아!"
"앞으로 자신의 분야 경쟁 상대를 1차원적인 동조 업계만 생각하면 안 되는구나! 정신 차려야겠다. 한 방에 훅가겠는데"

첫 번째 부류가 100명 중 90%다. 우리는 너무 생각 없이 산다. 그 누구보다 무서운 경쟁상대는 자신의 무지다!

토끼와 거북이 달리기에서는 서로가 경쟁 상대였다. 지금 시대 토끼와 거북이 달리기에서의 경쟁상대는 미세먼지, 코로나다. 경기 자체를 할 수 없기 때문이다.

지금 4차 산업 시대, AI 시대, 포스트 코로나 시대, 5G~10G 시대...자신의 분야 경쟁상대 본질을 다시 잡아야 한다. 단순하게 같은 업종에 종사하는 사람들이 아니다.

현대차의 경쟁상대는 BMW가 아니라 경쟁상대의 본질은 전기차다. 보험설계사의 경쟁 상대는 타 보험설계사가 아니라 경쟁상대의 본질은 다이렉트가입 인터넷이다.

강사의 경쟁상대는 같은 업종 강사가 아니라 코로나로 인해 비대면 화상 강의 시스템이다. 한마디로 모든 업종의 경쟁상대는 디지털이라는 것이다. 자신 분야 아날로그 방식 80%를 디지털 방식으로 50% 이상 바꾸지 않으면 살아남기 힘들다.

《나다운 방탄 카피 사전》

리더의 경쟁상대는 누구일까? 같은 업종 리더일까? 50%만 맞다. 20,000명 심리 상담, 코칭 하면서 알게 된 것은 리더의 경쟁상대는 자신의 낮은 자존감이다.

리더가 자존감이 낮으면 경쟁상대를 제대로 인지하지 못한다. 현대자동차 경쟁상대가 BMW가 아니라 전기 차이듯 시대 흐름에 맞는 경쟁상대를 제대로 볼 수가 없다.

리더 자존감이 높아야만 시대 흐름에 맞게 전기자동차라는 것을 파악해서 준비, 대비를 할 수 있다.

방어운전으로 예를 들겠다. 운전에서 방어 운전이 중요하다고 한다. 하지만 더 중요한 것이 있다? 보복 운전이 많고 주행 중 변수들이 많아서 지금은 방어운전은 기본이고 예측 운전까지 해야 한다.

방어운전은 순간 벌어진 상황을 대처하는 것이고 예측 운전은 미리 벌어질 상황을 인지하고 대비하는 것이다.

리더 자존감이 높아야만 시대에 맞는 경쟁상대를 미리 예측하여 준비를 할 수 있다. 리더 자존감이 낮으면 경쟁상대를 닥쳐야 생각하고 발등에 떨어져야 움직인다. 자존감이 높아야만 준비, 예측을 잘한다.

리더의 경쟁상대

현대차의 경쟁상대는 BMW가 아니다?
전기차다!

리더의 경쟁상대는
동조 업계 리더가 아니다?
리더 자존감이다!
리더 자존감이 낮으면 시대에 맞는
경쟁상대를 보는 안목이 생기지 않는다!

나다운 방탄 카피 사전
136P ~ 137P

인생 신호등

인생은 신호등과 같다. 다만, 빨간색 신호가 70%, 주황색 신호가 20%, 초록색 신호가 10%다. 인생의 빨간색 신호가 70%다? 계획대로, 마음먹은 대로, 생각대로 되지 않는다. 인생의 주황색 신호가 20%다? 이것도, 저것도 아닌 애매한 경우다.

인생의 초록색 신호가 10%? 계획대로, 마음먹은 대로, 생각대로 될 때이다. 인생은 1:2:7법칙이라는 것을 알아야 한다. 그런데 인생을 무단횡단(로또, 대박, 한방...불로소득)하는 사람이 많다. 5분 먼저 가려다가 50년 먼저 가는 수가 있다! 검증 안 된 전문가들이 말하는 것들

"신호등은 공평하다. 돈이 많아도 돈이 없어도 공평하게 신호등은 순서대로 가라고 한다. 인생의 신호등 참고 기다리면 나의 신호가 분명히 올 것이다."라는 말로 안심시킨다. 오 마이 갓! 인스턴트 동기부여 말에 속지 말라! 정신 차려라! 신석기 시대 동기부여 말을 4차 산업 시대에 접목하니 당신의 동기부여가 바이러스에 걸려 업데이트가 계속 안 되는 것이다. 잘 들어라! 4차 산업 시대에 맞는 동기부여 업데이트를 해주겠다. 인생의 신호등은 변화, 인고의 시간, 시행착오, 대가 지불, 어제보다 나은 오늘이 되기 위한 0.1% 나아지기 위해 행동했을 때 인생 신호등은 초록불로 바뀌는 것이다. 느낌 오는가? 시간의 흐름 속에서 마냥 기다리냐? 변화, 행동하면서 기다리냐? 는 지구와 태양 크기 차이이다.

《나다운 방탄 카피 사전》

리더의 신호등!

자존감이 낮은 리더들은 신석기 시대 동기부여인 "신호등은 시간이 되면 바뀐다. 분명히 나의 신호가 올 것이다. 기다리면 된다."라는 태도로 변화, 배움, 성장 없이 하던 방법으로 하면서 자신이 원하는 신호로 바뀔 거라고 착각 속에 산다. 자존감 높은 리더들은 "변화, 배움, 성장, 시행착오, 대가 지불, 인고의 시간이 없으면 인생 신호등은 절대로 바뀌지 않는다."라는 태도로 행동한다.

리더의 신호등

70% 계획대로, 마음먹은 대로 생각대로 되지 않는다!

20% 이것도, 저것도 아닌 애매한 경우!

10% 계획대로, 마음먹은 대로 생각대로 될 때!

자존감 낮은 리더는 똑같은 방식으로만 하면서 신호가 바뀌길 기다리고 자존감 높은 리더는 어제와 0.1% 다름, 나음, 변화, 성장하기 위한 행동을 하면서 신호가 바뀌길 기다린다.

나다운 방탄 카피 사전
154P ~ 155P

거절

거절의 뜻을 제대로 아는가? 상대방에게 거절당하는 것은 본인이 싫어서가 아니라(사람의 본질) 본인이 행했던 것이 싫다는 것이다.

누군가는 거절을 이렇게 받아들인다. 나란 사람을 거절했어, 난 역시 안돼!

누군가는 거절을 이렇게 받아들인다. 나란 사람 자체를 거절한 것이 아니다. 나란 사람 가치를 거절한 것이 아니다. 상품이 마음에 안 들어서 거절한 것이다. 좀 더 좋은 제품으로 다시 오라는 뜻이다. 다시 시작, 도전하라는 신의 시그널이다.

미국 다트넬 조사 데이터가 있다. 세일즈맨들은 몇 번이나 거절을 당하면 포기할까? 한 번 거절 48%, 두 번 거절 25%, 세 번 거절 15%, 세 번 이상 거절해도 포기하지 않는 사람 12.7%다. 세 번만 거절당하면 88%의 세일즈맨들이 고객을 포기한다. 12%에 해당하는 사람들이 전체 매출의 80% 이상을 올린다. "포기하지 마라." 말을 하고 싶은 게 아니다. 거절, 싫음, 계획대로 되지 않는 자신의 인생을 대하는 태도가 중요하다는 것이다. 거절 안 당하는 사람이 있던가? 인생이 계획대로 되는 사람이 있던가? 거절당하고 또 당해라. 신이 주는 거절 할당량을 다 써버려라. 실패하고 또 실패해라. 신이 주는 실패 할당량을 다 써버려라. 이게 거절, 실패 극복 공식이다.

《나다운 방탄 카피 사전》

거절을 대하는 리더의 자세!

거절 할당량 행복 할당량, 불행 할당량, 시행착오 할당량...이라고 아는가? 인생은 모든 것이 할당량이 있다. 행복도 할당량이 있고 불행도 할당량이 있다. 행복, 즐거움, 기쁨, 설렘 등 좋은 것에 할당량은 370번 이고 불행, 고난, 역경, 거절, 아픔, 슬픔, 이별, 시행착오 등 안 좋은 것에 할당량은 37,000번 온다. 왜? 안 좋은 것이 100배가 더 많은지 아는가? 이해하려고도, 알려고도 하지 말아야 한다! 왜? 신의 영역이기 때문이다. 안 좋은 상황이 일어나는 이유는 사람의 심리로는 알 수 없는 영역이기에 "안 좋은 게 좋은 것보다 100배 많다." 이 말을 공식처럼 외우면 된다! 한번 생각해 보자. 어떤 리더의 태도를 가질 것인가?

A라는 리더의 태도는 "내 인생에 좋은 것에 할당량은 37,000번이고 안 좋은 것에 할당량은 370번일 거야. 거절 될 수 있으면 안 당했으면 좋겠다. 실패 없었으면 좋겠다. 계획한 대로 잘 되었으면 좋겠다."

B라는 리더의 태도는 "좋은 것에 할당량은 370번밖에 안 되니 한번 올 때마다 정말 소중하게, 온 힘을 다해서 정성으로 감사하며 누리고 안 좋은 것에 할당량은 37,000번이 숨을 거두는 날까지 누구에게나 공평하게 오기에 안 좋은 할당량은 빨리 겪어 버리기 위해서 시도를 많이 하자! 거절 할당량을 다 당겨서 써버리자! 실패 할당량도 다 당겨서 써버리자!"

A라는 리더, B라는 리더 태도의 차이점이 무언지 아는가? 근본적인 차이가 자존감이 높냐, 낮냐? 차이라는 것

이다. 자존감이 낮은 리더는 거절보다는 짝퉁 친절(입서비스 친절)인 인스턴트 친절을 좋아하고 자존감이 높은 리더는 혀에는 쓰지만, 몸, 건강, 인생에 도움이 되는 거절을 좋아한다.

나다운 방탄 카피 사전
190P ~ 191P

익숙함이 자신을 죽인다?

자신 분야에서 일의 슬럼프, 권태기가 오는 시기?
하는 일이 익숙해질 때, 긴장되지 않을 때, 지루해질 때
하던 방법으로만 할 때, 변화의 필요성을 못 느낄 때다.
신이 인간에게 변화할 타이밍을 주는 시그널이 있다?
하던 것이 익숙해질 때, 하던 것이 요령이 생길 때, 하
던 것이 적응될 때다.

빛의 속도로 변하는 지금 시대 상어가 되어야 살아남는
다? 상어는 부레가 없어서 움직이지 않으면 바다 밑으
로 가라앉아 죽는다.

지금 우리가 살고 있는 현실은 너무도 빠르게 변하고 있다.

그런데 안타깝게도 20,000명을 상담, 코칭 하면서 알게 된 것은 자존감, 멘탈, 긍정, 마인드컨트롤과 같은 정신 적인 변화 속도는 달팽이보다 더 늦다. 스마트폰 시대 전보다 자존감, 멘탈, 긍정, 마인드컨트롤, 정신적인 것 들을 학습, 연습, 훈련을 할 수 있는 환경이 1억 배는 좋아졌는데 정보가 너무 많다 보니 헷갈려서 오히려 더 못하게 하고 더 안하게 만든다. 더 게으르게 만들고 더 정신을 약하게 만들고 있다. 겁을 주려고 하는 말이 아 니다. 세상이라는 백상어(상어 중에 최고의 포식자)가 엄청난 속도로 빠르게 움직이면서(변하면서) 자신의 정 신력이 잡아먹히고 있는지도 모른 채 살고 있다. 빠르게 변화하는 세상 속에 백상어(빠르게 변화는 현실)에게 잡 아먹히지 않기 위해서는 "나도 상어다."라는 태도로 자 신 분야를 시대에 맞춰서 빠르게 변화시켜야 한다.

《나다운 방탄 카피 사전》

리더는 상어가 되어야 한다? 상어처럼 움직이지 않으면 슬럼프가 다가와 리더에게 속삭인다.

"난 리더님처럼 늘 하던 방법으로 하고 세상 탓, 현실 탓, 스펙 탓, 인맥 탓, 돈 탓, 부모 탓, 자녀 탓, 직원 탓, 팀원 탓, 조직체 탓하면서 변화, 성장, 배우지 않고 아무것도 안 하려 하는 리더를 좋아해요. 리더님 100년 함께해요. 제가 권태기 친구도 소개해 줄게요. 권태기 친구가 좋아하는 스타일이에요. 아무것도 하지 않는 리더님 너무 좋다. 저에 이상형이에요!"

자존감이 낮은 리더는 탓을 잘하고 게으르며 늘 하던 방법으로만 하고 자존감이 높은 리더는 남 탓보다는 내 탓(반성)을 하면서 "지금 안 되는 것은 변화하지 않았던 시간의 복수다."라는 태도로 더 늦기 전에 행동한다.

자존감이 낮은 리더는 "상어는 부레가 없어 움직이지 않으면 바다 밑으로 가라앉아 죽는다." 이 말을 듣고 "뭐야! 일만 하라는 건가? 쉬지 말라는 건가? 쉬지 말고 돈만 많이 벌라는 건가?"라고 해석한다.

자존감이 높은 리더는 "상어는 부레가 없어 움직이지 않으면 바다 밑으로 가라앉아 죽는다." 이 말을 듣고 "그래 맞아 맞아! 너무 안주 하고 있었구나. 진짜 큰일 나겠다. 시대는 빠르게 변하는데 난 어제, 1주일 전, 한 달 전, 3개월 전...1년 전 돌이켜 보면 변한 게 없었네. 정신 차리자!"

자존감이 낮은 리더는 세상이라는 백상어가 자신을 죽이는 상황으로 받아들이고 자존감이 높은 리더는 세상이라는 백상어가 자신을 살리는 기회라 받아들인다.

상어 리더십

상어는 부레가 없어서 움직이지 않으면 죽는다!

리더는

배움, 변화, 성장, 움직이지 않으면
가족, 팀원, 조직체가 죽는다!

나다운 방탄자존감 I
029P

인생의 좋은 욕심!

인생을 잘 사는 공식이 있다. 무조건 외우자!
눈 욕심(책 읽는 욕심)
귀 욕심(도움 되는 소리 욕심)
입 욕심(함께 잘 되기 위한 말 욕심)
머리 욕심
(변화, 성장을 하기 위한 철저하게
머리고 계산하는 욕심)
손 욕심(나눔의 실천 욕심)
발 욕심(일단 시작 욕심)
인생에서 가장 중요한 욕심은 자존감 욕심이다!
《나다운 방탄자존감 명언 I 》

36색의 크레파스를 가졌을 때 나는 세상도 함께 가졌다.

온갖 색이 그 안에 다 있으니 늘 배가 불렀고 따뜻했다.

자면서도 히죽거릴 만큼 행복한 날들이 내게 있었다.

적어도, 55색을 가진 아이를 만나기 전까지 나는 완벽했다.

《한뼘한뼘》

불만족의 고리

배고픈 사람에게 신이 빵을 내려 주었더니 입을 옷이 없어 불행하다고 한다.

입을 옷을 주었더니 앉을 의자가 없어 불행하다고 한다.

앉을 의자를 주었더니 누울 침대가 없어 불행해 하다고 한다. 누울 침대를 주었더니 침대를 놓을 큰 집이 없어 불행하다고 한다.

큰집을 주었더니 차가 없어 불행하다고 한다.

차를 주었더니 가장 빠른 차가 아니라 불행하다고 한다.

스포츠카를 주었더니 하늘을 날지 못해 불행하다고 한다. 마음껏 날 수 있게 날개를 주었더니 당신과 같은 신이 될 수 없어 불행하다고 한다.

가지지 못해서 만족하지 못하는 것이 아니라 만족하지 못해서 만족하지 못하는 것이다.

《1cm+ 》

욕심을 부리는 사람이 망하는 이유

해녀들이 가끔 물속에서 사고를 당하는 경우가 있습니다. 30년, 40년 이상 평생 물질을 해온 그들이기에 물속에서 죽는다고 하니 선뜻 이해가 가지 않는데요.

사실 그분들이 수영을 못해 죽을 리는 없습니다. 심지어 입고 있는 슈트는 물에 둥둥 뜨기까지 합니다.
그런데 왜 해녀들은 죽음에 이르는 것일까요?

그 이유는 이렇습니다. 해녀들은 슈트를 착용하고 해산물을 따기 위해 바다로 잠수합니다. 숨을 참아가며 열심히 해산물을 채취하는 것이죠.
그러다가 점점 숨이 가빠 오는 순간을 맞이합니다.
"이제 숨을 쉬러 잠깐 물 밖으로 나가야지" 하고 잠수를 끝내려는 순간 꼭 대왕전복이 보인다는 겁니다.
숨이 턱 밑까지 차오를 무려 더는 참을 수 없는데 하필이면 그 순간에 수십만 원짜리 자연산 전복이 보이다니.
여러분이라면 그 대왕전복을 어떻게 하시겠습니까?
"당연히 숨을 쉬러 물 밖으로 나가야지"라고 말할 수도 있습니다.
하지만 해녀들은 그 찰나 이렇게 생각합니다.
"아, 저거 하나면 우리 딸 멋진 옷 하나 사줄 수 있을 텐데"

대왕전복에 달콤한 유혹을 이기지 못하고 수면 아래로 다시 내려가는 것입니다.

몇 십 년간 단련된 호흡량과 자신의 경력을 믿기에 힘들어도 숨을 참고 잠수를 이어갑니다. 사고는 꼭 이 순간이 발생합니다. 우리 뇌는 산소가 부족해지면 잠깐 뇌의 스위치를 꺼버립니다.
곁에 누군가가 있다면 "야야 정신 차려" 하며 깨워줄 테지만, 물속에는 아무도 없습니다.
그렇게 해녀들은 블랙아웃 상태에서 고요히 죽음에 이르고 맙니다.

실제로 물질로 먹고사는 해녀들이 절대 가져서는 안 될 제1의 요소로 '탐욕'을 꼽습니다.
고참 해녀들은 젊은 해녀들에게 늘 이렇게 이야기합니다. "욕심부리지 마라, 탐욕 부리지 마라 눈 돌아가면 숨 쉬는 거 잊어먹고, 한순간이 끝난다."

우리들 인생도 마찬가지입니다. 일 더미에 깔려 스트레스를 많이 받는 상황인데도 숨을 쉬러 물 밖으로 나오지 않습니다.
그렇게 계속 자신을 다그치다가 뇌가 스위치를 꺼버립니다. 말 그대로 번아웃에 빠져 결국 탈이 나는 것입니다. 그런데 흥미로운 점은 해녀들이 '대왕전복'에 유혹당하듯 우리들 역시 인생의 중요한 시점에 숨을 참아버린다는 점입니다.

숨이 턱까지 차올라 죽을 것 같은데 손에 잡힐 듯 말듯 한 목돈이 눈앞에 아른거리니 일을 놓을 수가 없는 것입니다.

잠깐 밖으로 나와 한 템포 쉬었다가 가면 될 것을 우리는 모두 그렇게 숨 쉴 수가 없습니다. 숨을 쉬는 순간 도태 된다고 믿기 때문입니다.

결국 당신은 숨을 참고, 잠수를 계속할 것입니다.

산소호흡기도 없이 맨몸으로, 죽을지도 모르는 심해의 수심으로 결국 들어가는 것입니다.

당신은 지금 생각해 봐야 합니다. 과연 나는 무엇을 따르고 하는지?

대왕전복에 현혹당해 목숨을 걸고 심해로 들어가는 것은 아닌지?

'하나만 더'하고 욕심을 부리다간 나도 모르게 한 방에 훅 가는 수가 있습니다. 그러니 이제는 바꾸시기를 바랍니다.

이 대왕전복을 따지 못했어도 또 다른 전복이 나오는 게 인생입니다.

이제는 물 밖으로 서둘러 나가 숨을 쉬시기를 바랍니다.

'파하' 하고 크고 깊은 심호흡을 한 후 한 템포쉬어 갔으면 좋겠습니다.

　　<유튜브 북울림>《상위 1퍼센트의 결정적 도구》

리더에게 독이 되는 욕심? 득이 되는 욕심?

"탐욕을 가지지 마라, 욕심부리지 마라" 말을 들으면 "그렇지 탐욕, 욕심부리면 안 되지" 1초 감동, 1초 울림 받고 다 쓰레기 되어버린다.

신이 인간에게 주는 선물인 망각 때문에 바로 잊혀지는 건 당연하지만 리더라면 어떻게 하면 탐욕, 욕심이 나오는 상황에서 조절을 할 수 있을까? 생각을 해봐야 한다.

20,000명을 심리 상담, 코칭 하면서 알게 된 탐욕, 욕심이 생기는 상황이 왔을 때 컨트롤하는 방법을 오픈하겠다.

그건 평상시에 자존감을 높이는 학습, 연습, 훈련하고 있어야 한다. 사람이 하는 모든 것은 습관이라는 자동 시스템이 있기에 평상시 탐욕, 욕심을 컨트롤해 주는 자존감을 높이는 학습, 연습, 훈련을 하고 있지 않으면 언제 발생할지 알 수 없는 탐욕, 욕심을 컨트롤 할 수 없다.

해녀 스토리텔링을 듣고 나서 핵심 내용을 외우고 다니더라도 탐욕, 욕심이 발생한 순간에 해녀 스토리텔링을 떠올리면서 "아! 탐욕, 욕심부리면 대왕 점복 따려다가 숨을 못 쉬어 죽는 해녀가 있듯이 내가 될 수도 있다.

정신 차리자!"라는 말을 하면서 탐욕, 욕심 컨트롤이 될까? 20,000명 심리 상담, 코칭 하면서 비슷하게라도 하는 사람이 없었다. 하지만 평상시에 자존감을 높이는 학습, 연습, 훈련을 하고 있는 사람이라면 탐욕, 욕심의 상황이 벌어졌을 때 조절시켜준다.

자존감이 낮은 리더는 탐욕, 욕심의 상황이 벌어졌을 때 "옳거니, 일단 가지고 보자! 어라! 나 이런 좋은 것, 좋은 상황을 가질 수 있는 행동을 많이 하지 않았는데? 아 몰라! 인생 뭐 있어? 별거 없어! 큰일이야 있겠어?"라는 태도로 탐욕, 욕심을 부린다.

자존감이 높은 리더는 탐욕, 욕심의 상황이 벌어졌을 때 "이거 너무 과분한 상황인데 내가 평상시 행동한 만큼보다 더욱 더 좋은 상황인데 이건 아니다. 욕심 부리면 안 되겠다. 여기까지 하고 내려놓자."

리더의 욕심

**리더가 돈을 욕심내면 리더십에서 냄새가 나고
리더가 사람 욕심을 내면 리더십에서 향기(사람의 정)가 난다!**

리더를 떠나서 인간이라면 욕심이 있다. 욕심이 다 안 좋은 건 아니다? 리더는 욕심부릴 때, 욕심을 절제해야 할 때를 조절을 잘해야 한다.

리더가 욕심을 부리면 안 되는 것은 나직성자체(나이, 직급, 성별, 자존감, 체면)다. 나직성자체를 욕심부리면 대왕 전복에 현혹당해 목숨을 잃는 해녀처럼 가족, 팀원, 조직체는 죽는다.

리더가 욕심을 부려야 할 것은 눈, 귀, 입, 머리, 손, 발, 자존감 욕심이다.

1. 리더여, 눈 욕심을 부리자! (책 읽는 욕심)

배움, 변화, 성장하기 위한 책 보는 욕심을 부려야 한다. 리더라면 이상적인 책 권수는 직원 수에 반을 봐야 한다. 직원이 10명이면 한 달에 5권을 봐야 한다. 책을 많이 읽는다고 리더십이 잘 나오는 건 아니다. 하지만 리더십을 잘 발휘하는 리더들은 무조건 책을 본다. 세계에서 알아주는 리더들 대부분이 책을 많이 읽는다.

리더가 되면 직위, 타이틀, 권력이라는 귀마개가 달팽이관을 막는다. 그래서 특별히 독학, 셀프케어를 잘해야 하는 자리가 리더 자리다. 셀프 피드백, 셀프케어를 잘하는 방법은 책을 읽는 것이다. 책 보는 시간을 절약하고 싶다면 전문가에게 1:1코칭을 받으면 된다. 한 분야 전문가에게 1:1코칭 받는 것은 그 분야 전문 서적 1,000권 보는 효과가 있다. 그래서 1:1코칭 투자 비용을 아끼면 안 된다. 리더를 따르는 사람들, 사람들의 가족까지 책임지는 사람이기에 리더의 무게를 견디기 위한 학습, 연습 훈련을 꾸준히 해야 한다.

2. 리더여, 귀 욕심을 부리자! (도움 되는 소리 욕심)

직원의 애로 사항을 잘 듣기 위한 욕심을 부려야 한다.

리더, 회사의 문제점을 보완하는 가장 좋은 방법은 전문가의 피드백, 점검을 받는 것도 좋지만 직원의 애로사항, 건의 사항을 잘 반영하는 것이다.

리더의 리더십을 망가뜨리는 하이에나 같은 사람들의 말을 걸러서 들을 수 있는 귀 필터링을 잘 할 수 있는 욕심을 부려야 한다. 리더가 귀가 얇으면 답이 없다. 귀를 두껍게 만들기 위한 학습, 연습, 훈련을 꾸준히 해야 한다.

3. 리더여, 입 욕심을 부리자! (함께 잘 되기 위한 말 욕심)

리더십이 나오는 리더는 언행일치하려고 힘쓰고 리더십이 나오지 않는 리더는 언행일치가 아닌 감정 일치(감정에 따라 말이 나온다.)를 잘한다. 감정 조절을 하지 못해서 말이 늘 감정적이다.

리더십이 없는 리더의 말을 들으면 열정, 자신감, 비전, 책임감, 솔선수범, 긍정, 파이팅, 좋은 에너지 등은 전혀 느껴지지 않는다. 리더의 말 속에 "우리 리더님은 제가 좋은 사람이 되고 싶도록 만들어요."라는 마음이 들어야 한다.

4. 리더여, 머리 욕심을 부리자! (변화, 성장을 하기 위한 철저하게 머리로 계산하는 욕심)

"어떻게 하면 철저하게 계산적으로 직원들에게 돈 쓰는 것을 아낄까?"가 아니라 철저하게 계산적으로 직원들의 비전, 목표, 가능성, 자신감, 자존감, 지갑을 채워 주기 위해 욕심을 부려야 한다. 특히 인재라 생각이 드는 직원, 결과를 내는 직원은 자존감, 지갑을 채워 줘야 한다. 철저하게 인재 관리를 해야 한다.

5. 리더여, 손 욕심을 부리자! (나눔의 실천 욕심)

누구나 잘 살면, 돈 많이 벌면 나눔, 기부 실천을 하고 싶어 한다. 하지만 나눔, 기부도 습관이듯이 여유가 없을 때 사소한 것이라도 나눔, 기부한다면 잘 되었을 때 더 큰 나눔, 기부를 할 수 있다. 나눔, 기부의 시작은 가족, 팀원, 조직체에서 시작되어야 한다. 직원들의 애로사항, 건의 사항을 듣고 나눔, 기부한다는 마음으로 리더, 회사 입장을 내려놓고 직원들의 복지, 편의를 위해 베푼다면 1,000억을 기부한 유명 인사보다 더 대단한 리더가 되는 것이다. 나눔, 기부는 단순하게 어려운 사람을 돕는 것만은 아니다. 나눔, 기부의 습관은 리더의 자존감을 고속 충전시켜준다.

리더가 평상시에 직원들에게 나눔, 기부를 못 하면 훗날 어려운 시기가 닥쳤을 때 직원들은 이렇게 생각한다. "리더, 회사가 힘드네? 이런 빨리 다른 회사 알아봐야겠다. 평상시에 리더십을 보면 내 그럴 줄 알았어."라는 부정의 부메랑이 되어 돌아온다.

리더가 평상시에 직원들에게 나눔, 기부를 잘하면 훗날 어려운 시기가 닥쳤을 때 직원들은 이렇게 생각한다. "우리 리더님 진짜 열심히 하셨지 하늘도 무심하지, 그 동안 우리를 위해서 애쓰신 거 보답해야지, 어려운 시기 함께 이겨냅시다. 파이팅 하겠습니다."라는 나눔의 실천 욕심은 긍정의 부메랑이 되어 돌아온다.

6. 리더여, 발 욕심을 부리자! (일단 시작 욕심)

리더 자신, 회사, 조직체 원들의 변화, 성장, 배움, 비전, 매출을 위해서 행동하자. 어제, 1주 전, 한 달 전, 1년 전보다 자신, 회사, 조직체 원들의 변화, 성장, 배움, 비전, 매출이 0.1%라도 나아지기 위한 행동을 해야 한다.

7. 리더여, 자존감 욕심을 부리자!

리더 눈 욕심(책 읽는 욕심), 리더 귀 욕심(도움 되는 소리 욕심), 리더 입 욕심(함께 잘 되기 위한 말 욕심), 머리 욕심(변화, 성장을 하기 위한 철저하게 머리로 계산하는 욕심), 리더 손 욕심(나눔의 실천 욕심), 리더 발 욕심(일단 시작 욕심)을 부리면 자존감 욕심은 자연스럽게 나온다. 세상에서 가장 큰 욕심은 자존감을 높이기 위한 학습, 연습, 훈련 욕심이다.

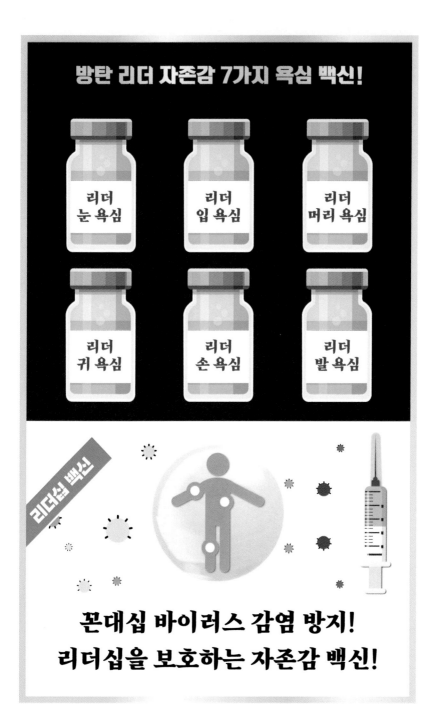

나다운 방탄자존감 II
016P ~ 017P
자존감 낮은 사람들이 자주 하는 말!
자존감 높은 사람들이 자주 하는 말!

자존감 낮은 사람들이 자주 하는 말!
"오늘도 못 했는데 내일 해도 안 될 거야"
"못하면 어쩌지, 욕먹으면 어쩌지"
"무조건 잘해야 하는데, 결과 나와야 하는데"
"나만 처음부터 못 하는 것 같아"
자존감이 낮은 사람들은 주위 사람들의 말에 크게 의식하여 상황 자체를 그대로 받아들이지 못한다. 핑계 대며 상황을 부정적으로 받아들인다.

자존감 높은 사람들이 자주 하는 말!
"내일 다시 해보자"

"까짓것 못하면 좀 어때"

"잘 하지 않아도 괜찮아"

"당신들은 처음부터 잘했냐?"

자존감이 높은 사람들은 주위 사람들 말에 크게 의식하지 않는다. 상황 자체를 그대로 받아들이고 핑계 대지 않고 긍정적으로 받아들인다.

《나다운 방탄자존감 명언Ⅰ》

자존감 낮은 리더의 말? 자존감 높은 리더의 말?

20,000명을 심리 상담, 코칭 하면서 알게 된 것은 안 좋은 상황이 벌어졌을 때 누군가에게는 디딤돌이 되고 누군가에게는 장애물이 된다는 것이다. 사람마다 벌어지는 상황이 똑같지는 않겠지만 비슷한 환경인데도 누군가는 상황을 피하려고만 하고 누군가는 극복하기 위해서 행동하며 방법을 찾으려고 한다. 도대체 무슨 차이일까? 그 차이가 자존감의 차이라는 것을 알게 되었다. 자존감이 낮냐, 높냐에 따라 상황에 대처하는 태도, 말투가 달라지고 자신에게 집중하느냐, 타인에게 집중하느냐로 나뉜다. 다음은 자신에게 집중하는 사람과 타인에게 집중하는 사람의 차이점을 뼈 때리게 하는 스토리다.

미국의 한 대기업에서 200억 원을 들여 세계 정상에 있는 세일즈맨, 기업인, 창업가들은 평소 어떤 생각을 하는지 알아보는 프로젝트를 진행했다. 2년 동안 35만 명에게 매주 한 번씩 전화 인터뷰를 실시한 뒤 분석한 결과는 놀라웠다.

최상위 10%에 속하는 성공한 사람들은 대부분의 시간 동안 자신이 원하는 것이 무엇이고 어떻게 하면 그것을 얻을 수 있는지 생각하는 것으로 나타났다. 반면 최하위 10%에 해당하는 사람들은 '왜 나는 이렇지?', '저 사람이 왜 내게 이렇게 했지?' 등 자신이 움직이지 못하는 이유나 다른 사람의 의견에 집중하는 경향이 강했다.

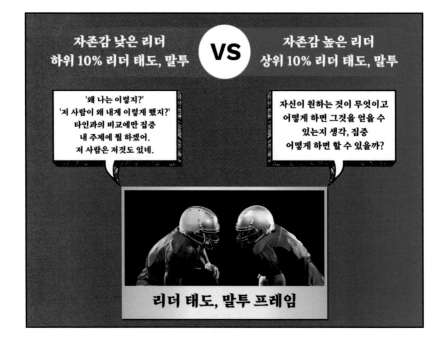

자신에게 집중하는 리더와 타인에게 집중하는 리더의 차이는 자존감이다. 자존감 낮은 리더의 태도, 말투와 자존감 높은 리더의 태도, 말투 차이는 지구와 태양 크기 차이다.

자존감이 낮은 리더는 남들이 가지고 있는 것, 하는 것에 관심이 많고 부정의 비교로 인해 리더 자신에게 주어진 자원(스펙, 사람, 가능성, 능력, 장점)이 부족하다는 것에 불만이 많아 해야 될 것에 집중을 못한다.
자존감 높은 리더는 리더 자신에게 주어진 자원(스펙, 사람, 가능성, 능력, 장점)으로 "어떻게 하면 좀 더 좋은 결과를 만들까?" 앞으로 해야 될 것, 이뤄야 할 것에만 집중한다.

리더라면 누구나 벌어진 상황을 자신에게 도움이 되는 생각과 말을 할 수 있는 태도를 가지고 싶어 한다.
리더라면 누구나 진취적인 말투, 긍정적인 말투, 비전 있는 말투, 방법을 찾을 수 있는 말투를 가지고 싶어 한다. 리더로서의 태도와 말투를 업그레이드하고 싶다면 자존감 높이는 학습, 연습, 훈련해야 한다.

방탄 리더 자존감 코칭

✔ 일시, 시간

▶ 수시 모집 (상담)

▶ 13:00 ~ 18:00 (기본 5시간)
   시간 조정 가능!(10H, 15H, 20H)

✔ 내용

1. 리더 자존감 종합검진
2. 리더 자존감 1단계 (자존감 원리 이해)
3. 리더 자존감 2단계 (후시딘 자존감)
4. 리더 자존감 3단계 (마데카솔 자존감)
5. 리더 자존감 실천 동기부여

✔ 자기계발 비용, 인원

▶ 비용 상담

▶ 1:1 코칭(온,오프라인)

✔ 장소, 상담

▶ 장소 상담 후 상황에 따라 변동 사항

▶ 한 번의 상담이 인생 터닝포인트
   150년 A/S, 관리, 피드백
   최보규 원장 010-6578-8295

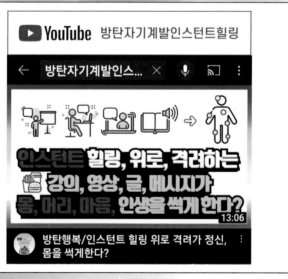

방탄리더사관학교
BULLETPROOF LEADER MILITARY ACADEMY

리더 멘탈과

리더 멘탈 PT 4

첫첫첫
앞서가는 리더는 PT한다!

압도적 차이를 만드는
방탄 리더십 PT

BOOKK

<저자 최보규>

리더 멘탈 7단계! 리더 순두부 멘탈, 리더 실버 멘탈, 리더 골드 멘탈, 리더 에메랄드 멘탈, 리더 다이아몬드 멘탈, 리더 블루다 이아몬드 멘탈, 리더 방탄 멘탈.

Class 15. 리더 멘탈과

- 리더 멘탈 7단계! 리더 순두부 멘탈, 리더 실버 멘탈, 리더 골드 멘탈, 리더 에메랄드 멘탈, 리더 다이아몬드 멘탈, 리더 블루다이아몬드 멘탈, 리더 방탄 멘탈.

소리에 놀라지 않는 사자처럼
그물에 걸리지 않는 바람처럼
흙탕물에 더럽히지 않는 연꽃처럼
무소의 뿔처럼 혼자서 가라
<수타니파타>

마음을 다스리는
방탄 리더 멘탈

삼혹(현혹, 유혹, 화혹:화려함에 혹하다)을
시키는 세상, 현실, 주위 사람들에게
흔들리지 않는 방탄 리더처럼
또라이들로부터 멘탈을
보호할 수 있는 방탄 리더처럼
고난, 역경, 불행, 실패, 좌절이 닥쳤도
멘붕(멘탈 붕괴)을 막을 수 있는 방탄 리더처럼
나다운 리더 페이스로 함께 가라!

1차 산업 시대는 1차 멘탈, 2차 산업 시대는 2차 멘탈, 3차 산업 시대는 3차 멘탈, 4차 산업 시대는 4차 멘탈인 방탄 멘탈이다. 리더 멘탈이 4차 산업 시대에 맞는 방탄 리더 멘탈로 업그레이드를 하지 않으면 멘탈이 늘 흔들린다. 흔들리는 나무에는 새들이 앉지 않듯 리더를 따르는 사람들은 금방 떠나간다.

한 시골 마을에 농사도 짓고 여러 가지 가축도 기르면서 오붓하게 여생을 보내는 한 부부가 살고 있었다.

어느 날 이 부부는 집에서 기르는 당나귀를 사이좋게 타고 읍내에 살고 있는 친구의 집을 향해 즐겁게 길을 나섰다. 아니꼬운 눈으로 이 모습을 지켜보던 사람들이 욕하기 시작했다.

"정말 지독한 사람들이야. 두 사람이 함께 당나귀를 타고 가다니 저 당나귀는 얼마나 무거울까"
이 말을 들은 아내는 얼른 내리고 남편만 당나귀를 타고 갔습니다.
또다시 사람들은 이런 말을 했습니다.
"정말 이기적이야, 아내를 태우지 않고 혼자 당나귀를 타고 가다니"
이번엔 남편이 내리고 아내만 당나귀를 타고 갔습니다.

또다시 사람들은 이런 말을 했습니다.
"정말 미련하네! 아내만 당나귀를 타게 하다니" 남편을 나무람 하는 말을 들은 아내는 얼른 당나귀에서 뛰어내려 남편의 뒤를 따라 걸었습니다.

당나귀를 타지 않고 아내와 남편은 같이 걸었습니다.
그러자 사람들은 또 혀를 차면서 "저런 바보들 왜 당나귀를 타지 않고 걸어가"

<微新>

이날 이 부부들의 나들이는 어땠을까요?

즐거운 마음으로 나왔는데 좋았던 기분은 사라지고 안 좋은 마음이 더 생겼을 것이다.

뭘 해도 욕먹는 지금 세상, 현실 속, SNS 속, 인생 속 사람들의 마인드, 멘탈, 태도다.

이런 환경에서 어떻게 하면 리더 멘탈을 4차 멘탈인 방탄 리더 멘탈로 업데이트하고 리더 멘탈 학습, 연습, 훈련을 할 것인가?

뭘 해도 욕먹는 시대! 스토리텔링에서 무엇을 느꼈는가?

지금 21세기 SNS 시대 뭘 해도 욕먹는 시대, 뭘 해도 태클을 걸고 뭘 해도 안티가 생기는 시대다.

인간관계 속에서 무엇을 하더라도 안 좋게 바라보는 사람들이 많다. 이런 상황이다 보니 멘붕(멘탈 붕괴), 자붕(자존감 붕괴)이 자주 발생한다.

20,000명 심리 상담, 코칭 하면서 알게 된 것은 사람들의 스트레스 80%가 인간관계에서 받는다는 것이다. 멘탈이 약하면 스트레스는 복리로 쌓인다. "리더 멘탈을 어떻게 하면 높이고 셀프케어를 할 수 있을까?"라는 태도로 끊임없이 리더 멘탈 케어를 학습, 연습, 훈련해야 한다.

리더 멘탈이 약하면 리더를 따르는 사람들은 금방 떠나간다. 리더 멘탈이 약해서 비전 없는 모습, 사소한 것에도 민감하게 받아들이는 모습, 감정 기복이 심한 모습, 감정에 따라 판단하는 모습, 자기관리 못해서 힘이 없어 보이는 모습, 늘 표정이 어두운 모습, 보고 배울 게 없는 모습, 잘 삐지는 모습... 등으로 떠나가는데 멍청한 리더는 떠나간 원인이 리더 자신인지도 모르고 나간 사람이 문제가 있다고 생각하고 나간 사람들만 욕한다. "배신자들! 내가 잘해준 것은 하나도 생각 안 하고 나를 배신했어." 씩씩거리면서 퇴사한 직원의 뒷담화까지 한다.

리더 멘탈을 관리를 잘하기 위해서는 지금 멘탈을 업데이트해야 한다. 컴퓨터, 스마트폰 업데이트를 주기적으로 하지 않으면 바이러스에 걸려 작동이 안 되듯 멘탈도 인간관계에서 오는 80%의 스트레스 관리를 잘해야만 리더 멘탈을 업데이트를 할 수 있다.

리더 멘탈 관리를 잘하기 위한 첫 번째는 스트레스 관리다. 스트레스 관리에 시작은 스트레스를 푸는 게 중요한 것이 아니라 스트레스 본질, 원인을 먼저 알아야 한다.

★ 리더 당근 멘탈? 리더 계란 멘탈? 리더 커피 멘탈?

다음은 똑같은 스트레스 환경 속에서 스트레스 관리를 어떻게 해야 하는지 깨닫게 해주는 스토리텔링이다.

당신은 당근입니까, 계란입니까, 아니면 커피입니까?
모든 일이 마음 먹은 대로 되지 않는다며 딸이 아버지에게 푸념을 늘어놓았다. 딸은 자포자기하기 일보 직전이었다. 그녀는 이제 완전히 지쳐서 더 이상 삶과의 힘겨운 싸움을 계속하고 싶지 않았다. 한고비를 넘기고 나면 새로운 난관이 기다리고 있는 현실에 진저리가 났다.

요리사인 아버지는 말없이 딸을 주방으로 데리고 가더니 세 개의 솥에 물을 담아 불 위에 올려놓았다.
솥 안의 물이 끓기 시작하자 아버지는 세 개의 솥에 각각 당근과 계란, 그리고 곱게 갈아 놓은 커피를 넣었다. 그리고 물이 다시 끓어오를 때까지 아버지는 단 한마디도 하지 않았다. 옆에서 입을 쭉 내밀고 지켜보고 있던 딸은 더 이상 참을 수 없다는 듯 아버지에게 물었다.
"도대체 무얼 하시려는 거예요?"
하지만 아버지는 묵묵히 솥만 바라볼 뿐이었다. 한 20분쯤 흘렀을까. 아버지는 불을 끄더니 당근과 계란을 각각 그릇에 담고, 커피는 잔에 부었다. 그리고 고개를 돌려 딸에게 물었다.

"애야, 이게 무엇이냐?" "당근하고 계란, 커피잖아요."

아버지는 딸에게 가까이 다가와 당근을 만져보라고 했다. 처음에 솥에 넣을 때와는 달리 잘 익어 말랑말랑해져 있었다.

아버지는 또 계란을 깨보라고 했다. 계란껍질을 벗겨보니 역시 속이 단단히 잘 익어 있었다. 마지막으로 아버지는 딸에게 커피를 한 모금 마신 후 만족스러운 미소를 지었다. 딸이 커피잔을 내려놓으며 물었다.

"제게 왜 이런 걸 시키시는 거죠?"

"이 당근과 계란, 커피는 모두 똑같이 뜨거운 물에 들어가는 역경을 겪었다. 하지만 그 결과는 모두 다르게 나타났지. 당근은 솥에 들어가기 전에도 젓가락으로 찔러도 들어가지 않을 정도로 아주 강하고 단단했지만 끓는 물 속에서 물러지고 부드러워졌지.

반대로 깨지기 쉬웠던 계란은 아주 단단해졌고, 가루였던 커피는 물이 되지 않았니? 넌 어느 쪽인지 생각해봐라. 넌 역경이 찾아왔을 때 어떻게 반응하지?" 넌 당근이냐, 계란이야, 아니면 커피이냐?"

아버지는 묵묵히 생각에 잠긴 딸을 따뜻한 눈빛으로 바라보며 말을 이었다.

"본래 강했지만 어려움과 고통이 닥치자 스스로 몸을 움

츠리고 아주 약해져 버리는 당근이냐? 아니면~ 본래는 연약하고 불안했지만, 소중한 사람의 죽음, 이별, 이혼, 실직과 같은 시련을 겪고 난 후 더욱 강해지는 계란이냐?

그도 아니면~ 자신에게 고통을 주었던 뜨거운 물을 변화시키고 가장 뜨거웠을 때 가장 좋은 향기를 내는 커피이냐? 네가 커피가 될 수 있다면 가장 힘든 상황에서도 현명해지고 희망을 가지게 될 것이며, 네 주변의 상황을 변화시킬 수 있을 게다." 역경이 닥쳤을 때 어떻게 반응하는지 스스로에게 물어보라.

《인생의 레몬차》

리더 당근 멘탈, 리더 계란 멘탈, 리더 커피 멘탈?

냄비(인생), 끓은 물(세상, 현실, 힘든 환경)

1. 리더 당근 멘탈: 단단했지만 환경에 약해져 버린 멘탈.
2. 리더 계란 멘탈: 깨지기 쉬웠지만 환경에 단단해진 멘탈.
3. 리더 커피 멘탈: 어려운 환경을 내 것으로 바꿔버리는 방탄 멘탈.

리더여, 당신 멘탈은 당근 멘탈 인가, 계란 멘탈 인가, 아니면 커피 멘탈 인가? 당근, 계란, 커피 스토리텔링을 20,000명의 리더가 듣는다면 20,000명 모든 리더가 이런 말을 할 것이다. "커피 같은 사람이 되어야 하는구나. 말이 쉽지? 어려움이 닥쳤을 때 어떻게 바로 커피같이 환경을 즉시하고 긍정적으로 받아들여? 감동, 울림, 메시지는 있는데 실천하기가 어려워" 이런 태도는 일반 멘탈이라는 것이다. 방탄 리더 멘탈은 똑같은 스토리텔링을 듣더라도 이런 태도와 멘탈을 가진다.

"어떻게 커피 같은 태도를 가질 수 있을까?"
"평상시에 어떤 생활 습관을 해야만 힘든 상황이 닥쳤을 때 커피 같은 태도를 가질 수 있을까?"
"지금부터 사소하게 무엇부터 시작해서 커피 같은 태도를 만들 수 있을까?"
스토리텔링을 듣고 1초 만에 사라지는 것이 아닌 스토리두잉(행동, 실천, 동기부여)을 하게 만드는 방탄 리더 습관 공식인 3why? 공식이다!

방탄 리더 멘탈 원리를 알고 멘탈 학습, 연습, 훈련으로 커피 같은 태도를 가질 수 있는 것이다.
단언컨대 고난, 역경, 불행이 왔을 때 말 한마디로 감동 글, 메시지, 영상, 사진 한 번으로 극복할 수 없다.

말 한마디로 감동 글, 메시지, 영상, 사진 한 번으로 극복했다고 하는 사람이 있다면 그 사람들은 자신도 모르게 평상시 멘탈 학습, 연습, 훈련이 되어 있었기 때문에 극복한 것이지 한 번으로 된 것이 아니다.

한 번에 이뤄지는 것은 로또 외에는 없다. "한 번에 극복했다."라는 말의 진짜 의미는 시행착오, 대가 지불, 인고의 시간이 어마어마하게 들어 있었기에 가능했다는 것이다. 한번, 한방, 대박...등에 속지 말아라! 한번, 한방, 대박.. 말을 하는 사람들이 다 사기꾼은 아니지만 사기꾼들 100명 중 99명은 한번, 한방, 대박..말을 잘 한다는 것을 명심해라.

한방, 대박은 없다?

변화, 성장, 꾸준함, 성실함, 진정성, 올바른 노력...이 없는 한방, 대박은 거품과 같아서 순간 사라진다.

인생은 **한방 대박**

다음은 지금까지 스트레스에 대해서 잘 못 알고 있었다는 것을 깨닫게 해주는 스토리텔링이다.

'스트레스는 해롭다'는 생각이 건강을 해친다.
1998년 미국의 한 연구소는 3만 명을 대상으로 지난 한 해 경험한 스트레스가 얼마나 컸는지를 설문조사하면서 "스트레스가 건강에 해롭다고 믿는가"를 물었다. 8년 뒤 연구원들은 설문 참가자의 사망 위험을 추적했다. 높은 스트레스 수치를 기록한 사람들의 사망 위험은 43% 증가했다. 그런데 스트레스가 건강에 해롭다고 믿었던 사람들만 사망 위험이 늘었다. 스트레스 수치가 높았어도 스트레스가 해롭다고 믿지 않은 사람의 사망 위험은 증가하지 않았다. 심지어 '스트레스를 거의 받지 않는다'고 기록한 사람보다 사망 위험이 더 낮았다.

연구 결과에 따르면 8년간 미국인 18만 2,000여 명이 '스트레스가 건강을 해친다'는 믿음 때문에 조기에 사망했다. 연구원들은 사람을 죽음으로 몰아가는 요인이 스트레스 그 자체와 스트레스는 해롭다는 '믿음'이 결합할 때 일어나는 현상이라고 결론지었다.

사람이라면 누구나 크고 작은 스트레스를 받으며 산다. 스트레스 없는 인생은 없다. 문제는 스트레스를 더 키운다는 데 있다. 건강 심리학자인 켈리 맥고니걸(사진)은 《스트레스의 힘》에서 "스트레스가 해로운 게 아니라 '스트레스가 해롭다'는 믿음이 우리 몸에 해롭게 작용한다"고 말한다. 나아가 더 많은 연구 결과를 예로 들며 "스스로 '스트레스가 몸에 이롭다'고 믿으면 삶을 유쾌하고 행복하게 해주는 약이 될 수 있다"고 주장한다.

<한경문화 최종석 기자>, 《스트레스의 힘》

스트레스의 놀라운 반전

결국 사람들은 죽음으로 몰아넣은 것은 "스트레스"가 아닌 "스트레스가 건강을 해친다는 믿음"이었던 것이다. "스트레스가 건강에 나쁘다고 믿는 것"이 더욱 커다란 사망 원인이 된다는 웃지 못할 결론에 이르게 된다.

스탠퍼드의 건강 심리학자인 캘리 맥고니걸은 이 발견을 시작으로 스트레스를 다시 연구하기 시작했고 이것은 정말 놀라운 발견으로 이어진다. "스트레스에 대한 생각의 변화만으로 건강해질 수 있을까?" 놀랍게도 그녀의 연구는 YES "그렇다"라고 말한다.

호텔에서 매트리스를 들어 올리고 두꺼운 이불을 털며 매번 허리를 굽혔다 폈다 하는 하우스키퍼 분들의 일은 육체적으로 굉장히 힘든 노동이다. 한 시간에 300칼로리를 소모하는 활동이며 이는 웨이트 트레이닝, 수중 에어로빅, 테니스에 맞먹는 강도의 노동이다.

이런 육체적 활동을 매일 하는 하우스키퍼들의 몸은 어떨까? 운동선수처럼 늘씬하고 탄탄한 몸을 갖고 있어야 하지 않을까? 스탠퍼드 대학의 알리아 크럼 박사는 미국 호텔에서 근무하는 하우스키퍼들을 대상으로 건강을 체크했는데 그들의 혈압이나, 몸무게, 허리, 엉덩이 비율을 체크한 결과 그들의 신체 건강이 움직이지 않고 앉아서만 일하는 일반 회사원과 다르지 않다는 것을 발견했다.

그리고 그들에게 평소 운동을 얼마나 하느냐고 묻자, 그들은 "운동을 거의 하지 않는다"라고 대답했다. 그들이 하는 일 자체가 운동과 다를 바 없었지만 말이다. 따라서 크럼 박사는 하우스키핑에 소모되는 칼로리를 알려 주는 포스터를 만들기로 한다. 이렇게 포스터를 만들어 7개의 호텔 중 4개의 호텔에서 일하는 하우스키퍼들에게 전달했다.

크럼 박사는 4주 후 그들을 다시 찾았는데 그 결과가 정말 놀라웠다. 포스터를 전달받은 하우스키퍼들의 몸무게는 줄어들었고, 체지방까지 낮아진 것이다! 일 외에 그들의 기타 운동량에는 전혀 변화가 없었는데도 말이다. 바뀐 건 오로지 "하우스키핑은 단순노동이 아닌, 칼로리를 소모하는 운동이다"라는 깨달음이었다!

<유튜브 1분과학>

사자의 스트레스

사자는 멸종 위기의 동물입니다. 그래서 인간이 보호해야 하지만 인간이 사냥하기도 하지요. 하지만 인간이 사냥해서 죽는 경우보다 소화불량으로 더 많이 죽는다고 합니다. 사자는 다른 동물을 잡아먹고 삽니다. 배가 부르면 그늘에 가서 잠을 자죠. 인간 외에는 건드리는 동물이 없기에 사냥을 해서 배가 부르면 잠을 잡니다. 소화를 안 시키고 바로 자다 보니 소화불량으로 죽는 경우가 많다는 것이죠. 근데 유일하게 사자를 괴롭히는 것이 있습니다. 바로 똥파리입니다. 사자의 입 주위에 묻은 동물 피와 찌꺼기를 먹기 위해 사자 주위를 돌아다

닙니다. 사자 입장에서는 스트레스입니다. 다른 그늘로 가면 또 따라오고. 그래서 이리저리 걸어 다니거나 뛰어 다니며 어느 정도 소화를 시킵니다. 한마디로 똥파리는 사자 자신을 살리는 고마운 존재입니다.

리더 멘탈을 4차 멘탈인 방탄 리더 멘탈로 업데이트하기 위한 시작은 멘탈을 방전시키는 주원인인 스트레스 본질을 알아야 한다. 스트레스 원인을 파악한 후 근본적인 멘탈을 업데이트하기 위한 학습, 연습, 훈련해야 한다. 리더 멘탈 업데이트 시작한다.

★ 세계 인구 80억 명 감정 80억 가지! 감정컨트롤 고. 틀.선.편 깨기(고정관념, 틀, 선입견, 편견)

국어사전에서 감정을 검색하면 어떤 현상이나 일에 대하여 일어나는 마음이나 느끼는 기분이라고 한다.
몸, 머리, 마음에서 반응하는 모든 것들에서 느끼는 것을 감정이라 할 수 있다.

<EBS 사람의 감정과 표정>에서는 사람이 지을 수 있는 표정은 7,000가지가 있고 놀라운 속도로 얼굴에 나타났다 사라진다고 한다. 더 놀라운 것은 그 많은 표정 중 감정을 표현하는 표정은 동일하다고 한다. 심리학자들은 전 세계 사람들이 공통으로 가지는 있는 6가지 감정을 찾았다. 모든 일류가 공통으로 가지고 있는 6가지 감정인 기쁨, 슬픔, 두려움, 놀람, 분노, 혐오다.

사람이 7,000가지 표정을 지을 수 있다는 것은 7,000가지 감정이 있다고 봐야 할 것이다. 필자가 20,000명 심리 상담, 코칭 하면서 알게 된 것은 비슷한 상황이 있을 뿐이지 상황에 느끼는 감정은 20,000가지라는 것이다.

한마디로 세계인구 80억 명이라면 80억 가지의 감정이 있다고 할 수 있다.

90%의 사람들이 감정의 대한 고정관념을 가지고 있다. 가장 큰 고정관념은 자신에게 생기는 감정 중에 좋은 감정만 내 것이고 안 좋은 감정은 자신 것이 아니라고 단정 지어 인정하지 않는다. 안 좋은 감정은 상황, 상대방 때문에 만들어진 감정이라고 판단을 하고 스트레스를 받는다. 당연히 상황, 상대방 때문에 안 좋은 감정이 만들어지는 경우가 많다. 하지만 냉정하게 생각을 해보면 상황, 상대방 때문에 안 좋은 감정이 만들어지는 것이 아니라 자신이 바라는 상황(결과), 인생을 살면서 만들어진 인간관계 기준(자신이 원하는 인간관계)에 미치지 못해서 안 좋은 감정이라고 판단하는 경우가 99%라는 것이다.

감정컨트롤을 잘하기 위한 핵심 고.틀.선.편 깨기에 기본은 자신에게 일어나는 좋은 감정 10%, 안 좋은 감정 90%를 다 내 것이라고 인정하는데서 부터 시작 된다. 인정이 아니라 자연의 법칙이라는 것이다. 자연의 법칙을 인정 하는가? 우리가 태어나기 전부터 태양이 떠 있고 태어나서 숨을 쉬는 것처럼 자연스럽고 당연한 것이다.

여기서 이런 의문점이 들것이다. "자신에게 일어나는 좋은 감정, 안 좋은 감정을 인정하라는 말과 이론은 알겠는데요. 말이 쉽죠. 좋은 감정은 인정 안 하고 싶어도 자연스럽게 되는데 안 좋은 감정을 인정한다는 것이 너무 어렵습니다." 또한 20,000명 심리 상담, 코칭 하면서 늘 물어보는 질문이 있다. "상황이 안 좋아서 안 좋은 감정이 생기는 건 그래도 참겠는데 인간관계, 사람들 때문에 안 좋은 감정들이 생기면 감정컨트롤이 되지 않아서 화가 나고 짜증이 나는 경우가 많습니다."

당연히 감정이라는 것이 눈에 보이지만 손에 잡히지는 않기에 인정한다는 것이 쉽지 않다. 감정컨트롤 한다는 게 쉽지 않다는 것이다. 대부분 사람들이 인간관계 속에서 말, 표정, 행동 때문에 감정컨트롤이 안 돼서 스트레스가 쌓인다는 것이다.

다음은 사소한 말로 인해서 감정이 상할 수 있는 상황인데 감정컨트롤 정석이 무엇인지 깨닫게 해주는 스토리텔링이다.

기자: 내가 프리먼씨에게 검둥이라고 말하면 어떻게 되죠?
프리먼: 아무 일도 없어요.
기자: 왜 기분이 나쁘지 않은거죠?
프리먼: 내가 당신에게 멍청한 독일 암소라고 말하면 어

떻게 되는데요?

기자: 그야 아무 일도 일어나지 않죠.

프리먼: 그것 보세요. 나도 마찬가지예요.

기자: 자기한테 한 말이라고 느끼지 않는 것이 비결인가요?

프리먼: 기자 양반이 나에게 검둥이라고 하면 잘못된 단어를 사용하는 당신의 문제이지 내 문제가 아니에요.

<미국 흑인배우 모건 프리먼 인터뷰 기사중>

여기서 감정컨트롤 하수들은 위 스토리텔링을 이렇게 받아들인다. "음 잘못된 단어를 쓰는 사람이 문제라는 것 누가 몰라? 기자가 말했듯이 자기한테 한 말이라고 느끼지 않는 것이 중요한 거지. 누가 몰라? 한마디로 상대방이 안 좋은 말을 하더라도 반응하지 않아야 한다? 누가 몰라?"라고 받아들이며 감정컨트롤 우주 왕 하수가 되어 간다. 감정이 태도가 되어 모든 감정들이 표정, 말투, 행동으로 드러나게 되어 자신 수준을 자신이 낮춘다. 그래서 늘 좋은 글, 영상, 메시지를 보면서 느끼는 감정인 감동, 울림들이 1초 지나면 쓰레기 되어 버린다.

울림, 감동... 등 좋게 느꼈던 감정들을 자신의 삶에 가져와서 내 것으로 만드는 공식을 알려 주겠다. 《나다운 방탄습관블록》책에 있는 '3why?기법!'이다.

3why?기법!

첫 번째 왜? 나 같으면 쌍욕을 했을 거 같은데? 모건 프리먼 배우는 어떻게 저런 말을 할 수 있지?
두 번째 왜? 모건 프리먼 배우는 평상시 어떤 감정컨트롤 습관을 하고 있기에?
세 번째 왜? 지금 내 생활 속에서 사소하게 무엇부터 시작을 해야 감정컨트롤 습관을 만들 수 있을까?

필자가 '3why?기법!'을 외우고 다니면서 실천하고 있는 감정컨트롤 방법 320가지 습관을 참고하길 바란다. 습관 320가지는 뒤에 나올 것이다.

모건 프리먼 영화배우가 인격 모독적인 말을 듣고도 감정컨트롤을 할 수 있었던 비결은 상담 전문가로서 말을 한다면 여러 가지 이유가 있겠지만 감정컨트롤의 핵심 요소인 감정컨트롤 자존감, 감정컨트롤 멘탈, 감정컨트롤 습관, 감정컨트롤 행복, 감정컨트롤 자기계발, 감정컨트롤 코칭이라고 말할 수 있다. 이 중에서도 모건 프리먼 영화배우는 감정컨트롤 자존감이 높았기 때문이다.

자존감 낮은 리더, 사람들은 세상, 현실, 주위 사람들이 만들어 놓은 색안경에 민감하다. 그래서 사소한 말이라도 감정컨트롤이 잘되지 않아 상처를 잘 받고 스트레스를 받는 반면에 자존감이 높은 리더, 사람들은 세상, 현실, 주위 사람들이 만들어 놓은 색안경 만들어진 환경을 부인하지도 않고 반응하지도 않는다. 그래서 감정컨트롤(스트레스 관리)을 잘하기 위해서는 자존감 학습, 연습, 훈련이 기본이 되어야 한다는 것이다. 감정컨트롤 자존감의 세부적인 내용은 감정컨트롤 자존감 원리, 감정컨트롤 자존감 학습, 연습, 훈련에서 오픈 하겠다.

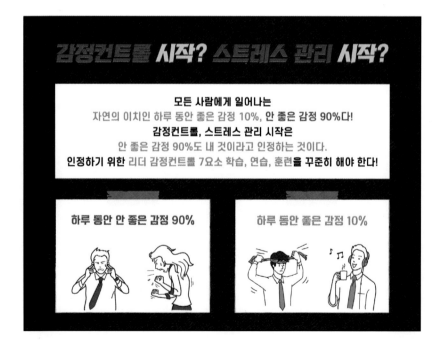

20,000명 심리 상담, 코칭 하면서 알게 된 것은 자신 감정을 가장 많이 흔들리게 하고 아프게 하는 사람 1순위는 자기 자신, 2순위는 가족, 3순위 결혼한 배우자, 4순위 자녀, 5순위는 인간관계라는 것이다. 아이러니 하지 않은가? 가까운 사이일수록 자신 감정을 많이 흔들고 아프게 한다는 것이다. 역으로 생각하면 감정컨트롤 최고의 방법을 알려주는 사람이 가까운 관계라는 것이다. 가장 가까운 사람들에게 느끼는 감정들을 컨트롤한다면 그 어떤 사람을 만나도 감정컨트롤이 잘될 것이다. 하지만 안타깝게도 20,000명 심리 상담, 코칭 하면서 알게 된 것은 이론에 불과하다.

가까운 곳에 답이 있는데 눈에 보이지 않는 감정이다 보니 세상에서 가장 어려운 것이다. 하지만 실망하지 말라! 20,000명 심리 상담, 코칭 전문가로서 감정컨트롤을 잘하는 정답은 아니지만 정답에 가장 가까운 정답을 알려 주겠다. 다음은 감정컨트롤 잘하는 방법을 깨닫게 해주는 스토리텔링이다.

아무나 만나지 말자!
행복을 결정짓는 가장 중요한 요소는 사람입니다.

어디에서 무엇을 하느냐보다 누구와 함께 시간을 보내느냐가 더 중요한 것이죠. 이는 과학적으로 증명이 됐어요. 미국 하와이대학의 일레인 햇필드 연구진은 누군가와 함께 시간을 보낼 때 상대의 표정, 목소리 톤, 자세, 움직임들을 지속적으로 모방하고 동기화한다는 사실을 밝혀냈어요. 웃는 사람의 얼굴을 보면 자신도 모르게 웃게 되고, 화난 사람의 얼굴을 보면 인상을 쓰게 된다는 거죠. 이는 '안면 피드백 이론'에 따라 모방하는 사람의 감정에도 영향을 미치게 돼요. (안면 피드백 이론: 감정은 얼굴 표정에 영향을 받는다는 이론)

쉽게 말해 함께 있는 사람이 행복하게 웃을 때 나 또한 더 많이 웃고 행복해지기 쉬워요. 반대로 불안, 공포와 같은 부정적인 감정 또한 나에게 전염이 된다는 것이지요. 누구와 함께 시간을 보낼지 신중해야 하는 이유예요. 험담하고 남 탓하며 사는 사람보다 긍정적인 사람과 함께 시간을 보내는 게 낫겠죠?

드라마<미생>에서도 이런 대사가 나와요. "파리 뒤를 쫓으면 변소 주변이나 어슬렁거리고 꿀벌 뒤를 쫓으면 꽃밭을 함께 거닌다. 좋은 영향을 주고받는 사람과 함께 좋은 방향으로 나아가야 함을 말합니다. 서로가 서로에게 좋은 사람이 되어주는 것이지요. 그러니 보기만 해도 영감이 느껴지고 함께 있는 것만으로 든든하고 유쾌한 즐거운 사람들과 좋은 관계를 맺고 유지하며 살아가셨으면 해요.

-두잉피플-

가난한 사람 96%가 가진 습관

만약 습관처럼 만나오던 친구가 나의 인생에 악영향을 미치고 심지어 나의 지갑 사정마저 안 좋게 만든다면 그 인연을 계속 이어가야 할까?

<습관이 답이다>의 저자 토마스 C. 콜라는 350명이 넘는 부자와 가난한 사람들의 습관을 5년 동안 연구했다. 그에 따르면 가난한 사람들 중 96%가 부정적이고 해로운 사람들과 어울려 지냈다.

만약 당신의 주변 사람들이 세상을 부정적으로 바라보고 자신의 처지를 냉소하며 노력하지 않고 무기력한 모습을 보인다면 그 모습 그대로 우리 자신에게 전파될 가능성이 높다. 우리 뇌에는 '거울 신경 세포'가 있어 자주 만나는 사람의 행동을 따라 하게 되기 때문이다.

반면, 멘토가 있다고 응답한 부자들 93%는 자신들이 이룬 막대한 부가 멘토 덕분이라고 밝혔다.

이들은 멘토로부터 좋은 습관을 배웠다고 말한다. 저자는 인간은 누구나 가깝게 지내는 사람으로부터 영향을 받기 때문에 성공을 추구하고 낙관적이며 목표 지향적이고 긍정적인 사람들과 어울릴수록 이루고자 하는 성취에 도움이 될 것이라고 조언한다.

여기서 잠깐, 좋든 싫든 친구나 멘토 하나 없다고 좌절할 필요는 없다. 자수성가한 부자들의 58%는 다른 성공한 사람들의 전기를 읽는다고 응답했다.

당신이 습관적으로 만나는 사람은 어떤 사람인가? 당신의 그 습관에 답이 있다.

<습관이 답이다>

위에 2가지 스토리텔링이 말하는 핵심은 어떤 사람과 어울리냐에 따라서 자신의 감정이 좌지우지되고 행복, 인생, 삶까지 좌지우지된다는 것이다. 그런데 솔직히 만나는 사람들을 가려서 만나야 된다는 것을 모르는 사람들은 없다. 영상, 대중매체, 책, 스타, 인지도 있는 사람들이 늘 하는 말이다. 이론 적인 말들 늘 그때뿐이라는 것이다. 세계 인구 80억 명이 알고 있는 말 끼리끼리, 유유상종, 그 밥에 그 나물 이라는 말이 있듯이 자신 수준이 낮으니 수준이 낮은 사람들을 만나는 것은 당연한 것이다.

20,000명 심리 상담, 코칭 하면서도 끊임없이 말을 하는 게 있다. 인맥 다이어트, 인간관계 다이어트를 해야한다. 지금까지 인맥, 만나는 인간관계로 인생 업데이트

가 되지 않았다면 인간관계 다이어트를 해야 한다. 하지만 과감하게 전에 만났던 사람들을 천천히 멀리하면서 도움이 될 거 같은 새로운 사람들과 관계를 맺어간다는 것이 쉽지 않다는 것이다. 당연하다. 도움이 될 거 같은 사람인지, 사기꾼인지 사람 보는 안목이 없는데 어떻게 새로운 사람들과 관계를 맺어 갈 것인가? 유명하고, 인지도 있는 사람들이 사기 치는 세상이다 보니 더더욱 관계 형성이 힘든 것이다. 이런 현실이다 보니 제대로 된 전문가를 찾기가 쉽지 않기에 코칭 받는 사람들을 필자가 세계 최강 책임감인 150년 a/s, 관리, 피드백을 해준다는 것이다. 당신이 그토록 찾던 멘토가 되어 준다는 것이다.

감정컨트롤을 잘하는 첫 번째 정답은? 아무나 만나지 말라. 철저하게 도움이 되는 사람을 만나라! 나에게 부정적인 영향을 주는 사람이 아닌 긍정적이고 도움이 되고 나를 성장 시켜주는 사람을 철저하게 만나라.
감정컨트롤을 잘하는 두 번째 정답은? 150년 a/s, 관리, 피드백을 해주는 전문가를 찾아라!
감정컨트롤을 잘하는 세 번째 정답은?
www.방탄자기계발사관학교.ccom 에서 코칭을 받아라!
감정컨트롤도 스펙이다! 시스템 안에서 학습, 연습, 훈련해야 된다.

자신 감정을 가장 많이 흔드는 사람
베스트 5!

1 자기 자신 ☆☆☆☆☆

2 가족 ☆☆☆☆★

3 결혼한 배우자 ☆☆☆☆★

4 자녀 ☆☆☆★★

5 인간관계 ☆☆☆★★

역으로 생각하면 감정컨트롤 최고의

방법을 알려주는 사람이 가장 가까운 관계다!

★ 세상 모든 심리학자가 말하는 감정컨트롤 최고의 방법!

지금 어떤 시대인가? 4차 산업시대, 5G 시대, 앞으로 10G 시대, 메타버스 시대, 챗GPT시대... 어떤 시대가 올지 상상 그 이상으로 빠르게 변하는 시대다. 몸은 편해지는 데 정신은 점점 더 힘들어지고 있다. 시대는 5G 속도로 변해 가는데 리더, 사람들의 정신 상태 변화가 2G 속도보다 느리다 보니 지금 사람들 감정컨트롤이 되지 않아 정신상태, 감정 상태가 심각하다. 4차 산업 시대면 4차 감정컨트롤인 방탄 리더 감정컨트롤로 업데이트해야 한다. **다음은 사람들의 정신상태, 감정 상태 변화를 깨닫게 해주는 시대 흐름 내용이다.**

5년간 서울서 77% 급증한 병원은?
최근 5년 사이 서울 시내 소아청소년과의원 10곳 중 1곳이 문을 닫았는데 반면에 77%나 늘어난 병원도 있었습니다. 서울연구원 분석에 따르면 저출생 영향 등으로 소아청소년과는 2017년보다 12.5% 감소했습니다. 개인 병원 진료과목 20개 중 영상의학과와 소아청소년과 두 곳만이 5년 전보다 줄어들었는데요. 반면 가장 큰 증가율을 보인 진료과목은 정신건강의학과로 같은 기간 무려 77%나 늘었습니다. 이어 마취통증의학과, 흉부외과가 그 뒤를 이었습니다. 정신의학과의 증가세는 스트레스와 우울증을 비롯해 청년층에서 나타나는 취업 문제, 미래에 대한 불안 등 심리적 어려움을 겪고 있는 환자 수가 꾸준히 증가하고 있기 때문으로 분석됐습니다.

(자료 : 서울연구원, 건강보험심사평가원) <SBS 뉴스>

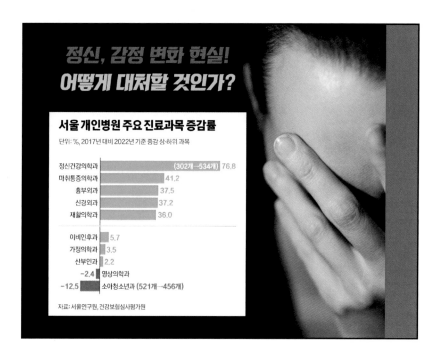

정신의학과가 폭팔적으로 증가하고 있다는 것이 사람들의 정신, 간정의 환경이 더 안 좋아지고 있다는 것을 알 수 있다. 앞으로 더하면 더했지! 덜하지는 않는다는 것이 팩트다. 이런 환경 속에서 감정컨트롤을 잘하려면 시대 흐름, 변화를 알아야만 시대에 맞는 감정컨트롤을 잘

할 수 있는 것이다.

스마트폰 없는 시대 때의 감정컨트롤 방법으로는 감정 컨트롤을 할 수 없는 건 당연하다. 자신의 감정이라는 휘발유 차량에 경유를 넣는 거와 같다. 감정컨트롤 원인, 감정컨트롤 환경, 감정컨트롤에 영향(자존감, 멘탈, 습관, 행복, 자기계발, 코칭)을 미치는 것들을 알아야만 감정컨트롤 방법, 공식을 배웠을 때 시너지 효과가 나는 것이다. 이제는 감정컨트롤은 선택이 아닌 필수다. 그 무엇보다 감정컨트롤 능력을 키워야 한다. 감정컨트롤 학습, 연습, 훈련을 통해 익혀야 되는 것이다.

다음은 세계에서 심리학자들이 말하는 감정컨트롤 하는 최고의 방법을 깨닫게 해주는 내용이다.

신경과학자이자 행동경제학자인 니르 이얄에 따르면, 우리가 감정에 휩쓸리는 결정적인 이유는 감정의 특성을 제대로 알지 못하기 때문이다.

감정은 항상 해소되길 원한다. 외롭다는 감정은 친구에게 연락하게 만들고 지루하다는 감정은 여행을 가게 만든다.

그런데 흥미로운 것은 그 감정이라는 것의 수명이 생각보다 길지 않다는 것이다. 심리학자들은 감정이 생겨났다가 사라지는 것을 "충동 서핑"이라고 부르는데, 해소되기를 원하는 불편한 감정은 파도처럼 크게 튀어 올랐

다가 얼마 가지 않아 사라지기 때문이다. 감정의 수명은 길어야 10분에 불과하다. 하지만 10분 후에도 그 감정이 사라지지 않는다면 그 감정이 사라지지 않도록 우리 자신이 붙들고 있기 때문이다.

그래서 어떤 감정이 생겨나면 그 감정이 완전히 사라질 때까지 다른 일을 하면 좋다. 화가 날 때는 산책을 하고 외로울 때는 즐거운 영화를 보고 지루할 때는 달리기를 하는 것이다. 감정과 뒤엉켜 싸우지 마라. 감정은 붙들수록 그 힘이 더 커진다.

하지만 감정을 딱 10분만 저 혼자 흘러가도록 내버려두면 더 이상 아무런 힘도 없게 된다.

<신경과학자 니르 이얄>

"안 좋은 감정이 생겼을 때 10분 동안 다른 일에 집중해야 한다."라는 세상에서 가장 좋은 방법, 공식이라도 화가 났을 때, 안 좋은 일이 생겼을 때 떠올리면서 실천하는 리더, 사람이 몇 명이나 될까? 20,000명 심리 상담, 코칭 하면서 알게 된 것은 1,000명 중 10명도 하지 못 한다는 것이다.

안 좋은 감정, 화가 날 때 다른 일에 10분 집중하기 위해서는 감정컨트롤 7가지 요소(방탄 리더십, 자존감, 멘탈, 습관, 행복, 자기계발, 코칭)를 평상시 꾸준히 학습

연습, 훈련을 하고 있어야 가능하다는 것이다. 리더라면 더더욱 리더 감정컨트롤 7가지 학습, 연습, 훈련을 해야 한다.

다시 한 번 정리를 하면 리더가 감정컨트롤을 잘하려면 감정컨트롤 방법, 공식 보다 선행해야 될 것이 리더 감정컨트롤 7가지 요소라는 것이다.
(방탄 리더십, 자존감, 멘탈, 습관, 행복, 자기계발, 코칭)

21세기 인간관계, SNS 시대 인간관계 1:2:7법칙을 알아야 한다. 내가 아무리 좋은 걸 해도 내가 아무리 선행을 하더라도 10%만 좋아하는 사람이 생기고 싫어하는 사람이 20%가 생기며 무시하고 관심 없는 사람들이 70%가 생긴다. 어떤 것을 하더라도 안티가 생기고 안 좋게 바라보고 악성 댓글이 생기는 것은 당연한 거다.

악성 댓글 쓰는 사람이 문제가 있는 건 맞다. 하지만 자연의 이치처럼 인간관계 "1:2:7법칙이구나! 그럴 수도 있겠구나! 그러려니 하자!" 이런 태도로 인간관계를 해야만 인간관계 속에서 스트레스, 멘붕(멘탈 붕괴), 자붕(자존감 붕괴)을 관리가 된다. 이런 태도, 멘탈이 일반 멘탈이 아닌 방탄 리더 멘탈이다.

방탄 리더 멘탈을 학습, 연습, 훈련으로 멘탈을 업데이트해야 한다.

세상, 현실 기준들, 주둥이 파이터들, 주위 사람들이 끊임없이 숨을 거두는 날까지 리더 멘탈을 흔들리게 한다. 니 주제에 되겠냐? 너 돈 없잖아? 내가 해봐서 아는데 너 그거 못해!

주위 사람들, 꼰대들 자신이 하려는 것에 찬물을 끼얹는 사람들, 고춧가루 뿌리는 사람들 그런 사람들로 인해서 자신이 하려고 하는 것을 시작할 때 자신감들이 다 사라지고 "진짜 안 될까? 포기해야 되나?"라는 감정의 족쇄가 된다. 시작할 때 그 마음가짐, 다짐들, 열정들 주위 사람들의 말로 인해서 자신감, 용기가 꺾이는 경우가 많다. 한 번쯤은 겪어 봤을 것이다.

20,000명 심리 상담, 코칭 하면서 알게 된 것은 일이 힘들어서 그만두는 사람보다 주위 사람들의 말로 인해서 멘탈이 깨져서 하던 일을 그만두는 사람이 더 많다. 사람들 말에 흔들리지 않는 방법, 극복하는 방법이 있다. 4가지 사람의 유형을 오픈한다. 집중!

자신의 자신감, 용기를 떨어뜨리는 그 사람들이 내가 하려고 하는 분야에 1. 박사 학위, 2. 연관된 책 5권 출간, 3. 주위 사람들에게 선한 영향력을 주는 사람 "아 저 사람은 내가 좋은 사람이 되고 싶어지도록 만들어" 이 말을 하게 만드는 사람인가, 4. 가족들에게 잘하는 사람인가. 이 4가지 중에 3가지 이상 해당되지 않는 사람의 말이라면 개무시해도 된다.

하고 있는 일, 내 분야에 검증된 전문가가 말하는 것이 아니기에 자존심이 상하고 멘탈 붕괴, 자존감 붕괴가 일어나면 안 된다. 주둥이 파이터들 그 사람 자체를 무시하는 게 아니다. 오해하지 말고 들었으면 한다.

그 사람이 말 할 자격이 있는가? 그 사람 수준을 점검을 해봐야 한다.

검증이 안 된 사람 말에 자신감이 떨어지고 멘탈 붕괴가 일어나고 자존감 붕괴가 일어난다면 쪽팔리는 것이다. 자존심이 상하는 것이다.

당연히 검증된 전문가가 말하는 것에 자존감, 자신감이 떨어진다면 당연한 거다.

검증된 전문가도 아닌 사람의 말에, 내가 잘 되면 배 아플 것 같은 질투 섞인 말에, 내가 잘 될까 봐서 빈정거리는 말에 자신의 소중한 감정 소모를 할 필요가 없는 것이다.

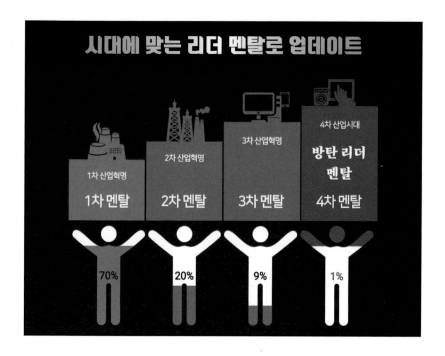

4차 산업 시대, AI 시대, 5G 시대 ~ 10G 시대, 메타버스 시대, 챗GPT 시대... 빛에 속도로 시대가 변하고 있다.

시대에 맞게 멘탈을 못 따라가고 있는 사람들이 90%다. 20,000명을 심리 상담, 코칭 하면서 알게 된 것은 사람들의 평균적인 멘탈 수준이 있다는 것이다.

1차 리더 멘탈을 가지고 있는 사람이 70%이다. 2차 리더 멘탈 20%, 3차 리더 멘탈 9%, 4차 리더 멘탈인 방탄 리더 멘탈을 가지고 있는 사람 1%다. 지금 현실은 카페인 우울증에 빠진 사람이 너무나도 많다.

카페인 우울증? SNS 속 쇼윈도 행복을 보면서 상대적 불행을 느끼고 상대적 빈곤감을 느끼면서 삶의 의욕을 상실하고 있다. (카페인: 카카오 스토리, 페이스북, 인스타그램)

다음은 스마트폰을 자주 볼수록 우울하게 만든다는 연구데이터를 기반한 설명이다.

하루에 2,600번 스마트폰을 만지고 3시간 동안이나 폰을 보며 깨어있는 동안 평균 10분마다 폰을 들여다본다. 3명 중 1명꼴로 한밤중에도 최소 한 번 이상 폰을 들여다보고 청소년들은 50%가 밤에도 폰을 만진다.

10대 청소년 1,500명을 대상으로 한 조사에서 70%나 SNS 때문에 자기 몸을 더 부정적으로 인식하게 됐다고 답했고, 20대는 50% 이상이 SNS로 인해 자신을 부정적으로 인식하게 됐다고 응답했다. 절반 이상이 SNS를 하면서 열등감과 비슷한 감정을 지속적으로 느끼고 있다는 것이다. 그중에서도 10대가 가장 심각했다.

<유튜브 사오TV>

지금 잘살고 있는데, 지금 가진 게 많은데, SNS로 인해서 끊임없이 비교한다. 부정의 비교, 상대적 불만, 상대적 불행, 상대적 비교로 인해 카페인 우울증이 심각하다.

그래서 대부분 사람들이 허우대만 멀쩡하다. 정신, 마음 속 멘탈은 다 썩어 문드러지고 있다.

20,000명 심리 상담, 코칭 해보니 화분에 꽃이 활짝 피어 보기 좋았는데 이미 뿌리가 썩어서 죽어가고 있는 사람들이 90%였다.

보기에는 멀쩡한데 그 뿌리는 죽어가고 있다. 뿌리는 멘탈, 자존감이다. SNS 속에서 누군가에 자랑하는 것들만 보면서 자신의 멘탈, 자존감을 도둑맞는지도 모르고 계속 중독되어 가고 있다. 나무에 열매(결과)가 중요할까? 뿌리가 중요할까? 인생이 나무라면 행복한 리더의 인생 뿌리는 방탄 리더 멘탈이다.

방탄 멘탈의 뿌리를 깊이 내려야지만 고난, 역경, 불행의 태풍, 인간관계 속 미세 먼지, SNS 속 초미세 먼지를 잘 극복할 수 있다.

사람에게 산소가 없으면 살 수 없듯 방탄 리더 멘탈은 직업, 관계, 각 분야에서 산소와 같다.

리더 멘탈, 자존감이 썩고 있다?

리더 멘탈, 자존감이 썩고 있다?

몇 차? 리더 멘탈이냐에 따라서 감당할 수 있는 조직력이 결정된다!

고난, 역경, 불행의 태풍, 인간관계 속 미세먼지 SNS 속 초미세먼지

227

★ 방탄소년단(BTS)이 사건, 사고가 없는 이유는 멘탈 때문이다!

방탄 리더 멘탈이 왜 중요한지 알게 해주는 그룹이 있다. 이 그룹을 모르면 지구인이 아니라는 말이 있을 정도다.

세계적인 스타, 대한민국 스타 BTS(방탄소년단)다. BTS(방탄소년단) 소속사가 BTS에게 대한민국 최초로 연예 소속사 최초로 개인 멤버마다 1:1 심리상담사를 붙여 멘탈 케어를 해준다. 한마디로 멘탈 주치의가 있다.

연예인이라는 직업이 어떤가? 심리적 충격이 엄청 민감하고 악성 댓글에 엄청 민감하며 우울증 등 심리적 압박감, 심리적 불안감이 클 수밖에 없는 직업이다 보니 대한민국 연예기획사 최초로 멘탈 케어 시스템을 만들었다. 대부분 연예인은 부와 명예를 얻다 보면 딴생각을 많이 하고 다른 행동을 많이 해서 사건 사고가 많다. 그런데 BTS만큼은 희한하게 사건, 사고가 없다.

왜 그런지 다른 이유도 많겠지만 방탄 리더십 전문가가 봤을 때는 멘탈 케어, 멘탈 주치의가 있었기 때문에 그때그때 케어를 잘 받아서 지금의 명성이 만들어졌다는 것이다.

멘탈 관리는 연예인을 떠나서 사람이 살아가는데 가장 중요하다. 멘탈 관리는 하루 3번 양치질하는 것처럼 꾸준히 관리해야 한다.

그런데 대부분 사람들은 어떻게 하는가? 멘붕, 자붕 왔을 때만 책을 찾아보려 하고 지인에게만 물어보니 늘 그때뿐이다.

리더 멘탈 관리를 양치질처럼 꾸준하게 학습, 연습, 훈련을 하는 사람이 없다. 안타까운 현실이다.

그래서 세계 최초로 www.방탄자기계발사관학교.com 에서 방탄 리더 멘탈 케어 시스템을 만들었다.

왕관을 쓰려는 자 그 무게를 견뎌라? 지금 시대는 그 무게보다 더 감수해야 될 것이 있다. 리더, SNS를 하려는 사람, 유튜브를 하려는 사람, 연예인이 되려는 사람, 인기를 얻으려는 사람은 악성 댓글과 상대적 빈곤으로 인한 멘탈 붕괴를 견뎌야 한다.

어떤 일을 시작하더라도 자신이 하는 일을 잘하려면 멘탈 붕괴를 견뎌내야 한다.
SNS 시대에 그 누구도 악성 댓글에서 자유로울 수 없다. 연예인만 악성 댓글에 노출이 되어 있는 게 아니다.

리더, 일반 사람들도 SNS로 인해서 우울증이 생겨서 극단적인 선택까지 생각하는 사람들이 많아지고 있는 현실이다.

"세상이 왜 이래? SNS가 사람을 망쳤어! 이런 세상이 너무 싫어!" 이렇게 말할 상황이 아니다. 환경에 맞게 변화하고 멘탈을 업데이트해야 한다.

지금 시대는 강한 사람, 우수한 사람이 살아남은 게 아

니다. 그 환경에 맞게 일반 멘탈이 아니라 방탄 리더 멘탈로 업데이트해야만 살아남을 수 있고 나다운 리더 인생, 나다운 리더 삶을 살아갈 수 있다.

어제 살아봤다고 오늘 다 아는가? 오늘은 누구나 처음이다. 100년을 살아봐도 내일은 누구나 처음이다. 100년을 살아봐도 오늘이라는 시간은 아무도 모른다. 이생망? 이번 생은 망했는가? 망했다고 생각하고 아무것도 안 하면 진짜 망한다.

리더여 살아온 날로 살아갈 날 단정 짓지 말자!
리더여 지금처럼 살 것인가 지금부터 살 것인가!
리더여 까짓것 해보자!
리더여 잘하지 않아도 괜찮아!
리더여 부족하니까 사랑스럽지!
리더여 지금 잘하고 있는 거 아시죠!
리더여 시작하면 언제나 배운다. 시작하자!

순두부 리더 멘탈에서 방탄 리더 멘탈로 업데이트하기 위한 7단계! 멘탈 시대는 끝났다. 운전도 방어운전이 중요하듯이 지금 시대는 나다운 방탄리더 멘탈이 필요하다. 방탄 리더 멘탈도 스펙이다. 학습, 연습, 훈련을 통해 익히는 것이다.

1단계 나다운 리더 순두부 멘탈

2단계 나다운 리더 실버 멘탈

3단계 나다운 리더 골드 멘탈

4단계 나다운 리더 에메랄드 멘탈

5단계 나다운 리더 다이아몬드 멘탈

6단계 나다운 리더 블루다이아몬드 멘탈

7단계 나다운 방탄 리더 멘탈

4강에서 방탄 리더 멘탈 보호막 학습, 연습, 훈련을 시작 하자!

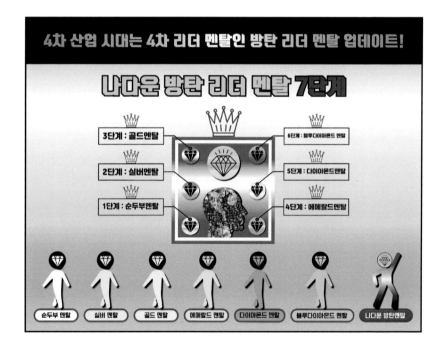

죽을 때까지 3가지? 빼고는

모든 것을 학습, 연습, 훈련해야 한다!

1. 죽음

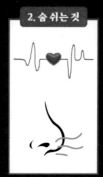

2. 숨 쉬는 것

3. 나이

학습, 연습, 훈련 반복!
자생능력
(혼자서 할 수 있는 능력)

양질전환 법칙!

리더 책 100권 출간

리더 책
2,000권 독서

20,000명
심리 상담, 코칭

45년간
리더 습관 320가지 만듦

나다운 방탄멘탈
순두부 멘탈 20P ~ 21P

최고의 부모? 최고의 리더?

최고의 부모?

최고의 리더?

부모님 같은 부모가 되고 싶어요!

리더님 같은 리더가 되고 싶어요!

부모, 리더가 보내는 가장 강력한

메시지는 솔선수범입니다.

부모십, 리더십은 따라오라고 하는 것이 아니라 따르게 만드는 것입니다. 행동으로 리드를 하는 것이지 말로 리드하는 것이 아닙니다. '해라'가 아니라 '같이 하자'입니다.

행복한 삶이란?
꾸준함, 정직, 배려, 존중, 양보, 봉사, 나눔, 솔선수범을
생각할 때 당신을 떠올리는 삶입니다.
《나다운 방탄멘탈》

다음은 리더의 솔선수범이 중요하다는 것을 깨닫게 해주는 과학적인 근거를 설명한 것이다.

나는 말만 내세우지 않고 솔선수범하며 직원들을 이끌고 있는가?
나는 회사, 부서 팀의 성공을 위해 내 이익을 희생하는 모습을 보여 주려고 노력하는가?
이 질문에 자신 있게 답할 수 있다면 당신은 이미 긍정적인 영향력을 통해 구성원들의 신뢰를 얻었다고 봐도 좋다. 리더로서 긍정적인 영향을 넓힐 수 있는 네 번째 방법은 솔선수범과 자기희생이다. 리더는 화려한 말보다 솔선수범을 통해 직원들의 신뢰를 얻는다. 개코원숭이를 연구하는 인류학자들에 의하면, 부하 원숭이들은 평균 20~30초에 한 번씩 두목 원숭이를 쳐다본다고 한다. 자신의 행동과 앞날에 영향을 미칠 힘 있는 원숭이를 관찰하고 적절히 대응해야 살아남을 수 있다는 사실을 본능적으로 개코원숭이가 그럴진대 이보다 훨씬 더 뛰어난 두뇌를 가진 사람이 자신의 미래에 큰 영향을 미칠

리더의 말과 행동을 유심히 관찰하는 것은 당연하다. 리더는 자신이 언제나 모두의 관찰 대상이며 원하든 원하지 않던 일종의 메시지와 시그널을 끊임없이 보내고 있음을 깨달아야 한다. 아예 자기 머리 위에 CCTV가 돌아가고 있다고 생각하고, 언제나 솔선수범하는 자세를 잊지 말자.

솔선수범이 리더에게 중요하다는 것은 동서양을 막론하고 별 차이가 없는 듯하다. 미국의 가장 오래된 여론조사기관 중 하나인 오피니언 리서치 코퍼레이션이 조사한 "리더로서 가장 중요한 자질이 무엇인가?"라는 설문조사에서 미국 사람들이 선정한 상위 항목들은 다음과 같다.

1. 솔선수범:26%

2. 윤리의식:19%

3. 업무 관련 지식:17%

4. 공정함:14%

5. 전반적인 역량:13%

6. 직원에 대한 인정:8%

이 결과만 봐도 직원들이 리더에게 무엇을 원하는지 알 수 있다. 지시만 하는 리더보다 먼저 실천하는 리더에게서 직원들은 본능적으로 신뢰를 느낀다. 리더가 자신의 이익을 포기하고 희생하며 솔선수범은 리더의 지위를 넘어 직원들의 지속적인 추종을 불러일으키는 가장 중요한 방법일 것이다.

《사람을 남겨라》

최고의 리더?

사람의 마음을 움직이는 최고의 방법이 아닌 유일한 방법은 솔선수범이다. 사람의 마음을 얻는 마스터키는 솔선수범이다. 나이와 상관없이 모든 연령층에 해당된다.

꼰대십에서 언급했듯이 꼰대십과 리더십의 가장 큰 차이는 솔선수범을 하느냐, 안 하느냐 차이이다. 리더가 솔선수범을 잘하는 상황에서 말을 한다면 "그래, 우리 리더님 평상시 말보다는 행동으로 보여 주는 사람이지. 리더님만큼은 아니어도 해보자" 이런 마음으로 받아들인다. 러더가 평상시에 말만 한다면 "너나 잘하세요! 당신이나 잘하세요! 리더가 모범을 보여 줘야지 적당히 하면서 시켜야지 자신은 하나도 하지 않으면서 힘들고 더럽고 어려운 것은 다 시켜 먹네. 당연히 리더 위치에서 해야 할 것이 있긴 있지만 너무 할 정도로 자신은 하지 않으면서 시켜 먹는 건 아니지!" 이런 마음으로 받아들인다. 직원의 충성심, 애사심은 리더의 솔선수범과 비례한다. 리더 위치에 맞는 솔선수범을 보여 줘야만 직원의 충성심, 애사심이 자연스럽게 만들어진다. 자연스럽게 만들어진 충성심, 애사심은 회사가 힘들 때 빛을 바란다. "회사가 힘들어지고 있다. 다른 회사를 알아보는 건 나중 일이다. 힘든 시기 우리 리더님을 위해서 함께 극복하기 위해 힘내야지. 리더님 힘내세요! 우리가 있잖아요." "회사가 힘들어지고 있다. 빨리 다른 회사 알아봐야겠다. 내 그럴 줄 알았다. 평상시에 리더 하는 꼬락서니 보니 회사가 힘들어질 줄 알았어! 어이구 어이구 평상시 잘하지 이제 와서 직원에게 도와 달라고 하는 심보 봐라? 리더님 힘내셔야죠. 당신 회사지. 내 회사는 아니잖아요." 리더가 솔선수범을 하지 않으면서 충성심, 애사심을 바라지 말아라. 가장 바보 같은 리더십이다. 리더 멘탈은 솔선수범으로 단단해지는 것이다.

최고의 부모? 최고의 리더?

부모님 같은 부모가 되고 싶어요!
리더님 같은 리더가 되고 싶어요!

나다운 방탄멘탈
실버 멘탈 43P ~ 44P

끌려가는 나다움? 끌어가는 나다움?

인간관계 잘하는 방법?
자신이 싫어하는 유형이 있습니다.
그런 사람이 먼저 안 되는 것입니다.
인간관계 잘하는 사람들은
맞춰주길 바라지 않고 맞춰가려고 노력합니다.

사람의 심리가 맞춰주길 바라는 마음이 99.9%라면 맞춰주려는 마음은 0.1%입니다. 그래서 행복한 사람들, 인간관계 잘하는 사람들이 0.1%밖에 없다는 것입니다. 인간관계 잘하는 방법! 행복해지는 방법! 정답 나왔습니다. 나답게 시작하세요!

맞춰주길 바라는 사람은 인간관계에 끌려가고
맞춰가려는 사람은 인간관계를 끌어갑니다.
끌려가면 스트레스고, 끌어가면 즐겁습니다.
《나다운 방탄멘탈》

끌고 가는 리더? 끌어가는 리더?

자신을 따르는 사람을 끌고 가는 리더가 있고 끌어가는
리더가 있다. 끌고 간다는 것은 마지못해서, 강요, 강압,
위력(사람의 의사를 제압할 수 있는 유형적 · 무형적인
힘을 말한다.) 등 한마디로 존중, 인정, 배려, 사랑이 없
이 리더가 하고 싶은 대로 한다는 것이다.

한마디로 리더 자신, 나만 있는 것이다. 끌어간다는 것
은 존중, 인정, 배려, 사랑이 기본 전제가 되어 나 너가
아닌 우리, 함께가 있다.

리더와 직원도 인간관계다. 보편적인 인간관계는 하나를
받으면 하나는 주는 경우가 많다. 하지만 리더의 인간관
계는 2:4:8법칙으로 해야 한다.
하나를 받고 싶다면 2개를 줘야 하고 2개를 받고 싶다
면 4개를 줘야 하며 4개를 받고 싶다면 8개를 줘야 한
다. 한마디로 먼저 주려는 행동이 있어야만 직원을 끌고
가는 게 아니라 끌어갈 수 있다.

다음은 상대방에게 원하는 것을 얻기 위해서는 먼저 줘야 한다는 것을 깨닫게 해주는 스트리텔링이다.

독일의 한 라디오 방송국에서 거액의 상금을 걸고 다음과 같은 흥미로운 공모전을 실시했다.

만약 당신에게 10만 유로가 생긴다면 얼마나 멋지게 돈을 쓸 것인가?

방송국은 청취자 투표에서 가장 많은 표를 한 사람에게 실제로 10만 유로를 지급하겠다고 공표했다. 공모가 시작되자 각양각색의 글들이 방송사로 쏟아졌다. "상금을 받으면 우주여행을 하겠다. 무인도를 사서 1년 동안 로빈스 크루소가 되겠다. 프러포즈 광고를 만들어서 TV에 방송하겠다. 속옷 박물관을 만들겠다." 등 아이부터 주부, 할아버지, 교사 가릴 것 없이 다양한 계층이 응모에 참여했다.

공모는 성황리에 마감되었고, 과연 누가 거액의 상금을 거머쥘 것인가에 귀추가 주목됐다. 그런데 당선자는 아이디어가 넘치는 젊은이도, 지식이 풍부한 대학교수도 아니었다. 수많은 응모자를 제치고 상금을 차지한 주인공은 마르코 힐게르트라는 이름의 머리가 희끗한 트럭운전사였다. 과연 그의 아이디어는 무엇이었을까?

상금의 4분의 3인 7만 5,000유로를 나를 뽑아준 독일 시민들을 위해 하늘에서 뿌리겠다. 2007년 1월 26일 마르코는 약속대로 카이제르슬라우테른이란 마을의 광장에서 기중기에 올라탄 체 7만 5,000유로를 광장에 모여든 군중을 향해 뿌렸다. 조이사의 설명에 신의 무릎을 쳤다. 게임의 룰을 완벽 하게 파악하다니, 그 사람 천재군요! 트럭 운전사가 공모전에 당선된 이유를 알겠는가? 신은 자신이 상금을 받은 것처럼 흥분된 어조로 말했다. 게임의 승패를 결정한 것은 기발한 아이디어가 아니었습니다. 트럭 운전사는 게임의 결정자가 청취자라는 게임의 본질을 파악하고 그들에게 상금의 4분의 3을 내놓았던 겁니다. 먼저 주었기 때문에 받을 수 있었던 거죠.

《관계의 힘》

리더는 먼저 줘야 한다. 지갑만 채워 준다고 충성하는 직원이 생기는 게 아니다. 대부분 리더들이 착각하는 게 있다. "돈만 많이 벌게 해주면 무조건 나가지 않는다." 하지만 돈을 지속적으로 벌게 해줄 수는 없다. 사람마다 능력이 다르고 영업, 성과라는 것은 잘될 때 있고 안될 때가 있는 것이다. 잘 되다가 안 될 때에 충성하는 직원인지 배신하는 직원인지 알게 된다. 존중, 인정, 사랑, 배려, 멘탈까지 채워줘야지만 힘들고 지칠 때 회사와 리더를 믿고 오래 함께한다. 앞에서도 언급했듯이 유능한 직원이 회사를 그만두는 이유 중 첫 번째가 회사 때문이 아니라 리더, 상사 때문에 그만 둔다. 리더는 직원과의 인간관계를 잘하기 위해서 끊임없이 학습, 연습, 훈련해야 한다. 리더가 끌고 가는 직원들은 "저 인간 때문에 언젠가는 그만둔다."라는 마음을 가지게 하고 리더가 끌어가는 직원들은 "회사는 별로지만 우리 리더님 때문에 있는다. 우리 리더에게 받은 은혜가 너무 많아"라는 마음을 가지게 한다. **끌고 가면 함께 오래 못 가고 상처를 주지만 끌어가면 함께 오래갈 수 있다.** "직원들이 오래 다니지 않아. 쓸만한 인재가 없어" 직원 탓하기 전에 회사, 리더가 직원을 오래 다니게 하고, 인재를 키워내는 시스템이 있는지를 먼저 만들고 점검해서 관리를 해야 한다.

나다운 방탄멘탈
골드 멘탈 63P ~ 64P

사랑받는 것도 자격이 있다

사랑은 아무나 하나?
사랑받는 것도 학습이 필요합니다.
이미지로 받는 사랑은 그때뿐입니다.
오래도록 사랑받을 수 있는 방법은?
편안한 사람이 되어주는 것입니다.

맹목적인 사랑을 주는 사람은? 부모님 빼고는 세상에
없습니다. 누군가 사랑을 먼저 줄 거라는 마음을 내려놓
고, 사랑을 받기 위한 행동에 힘써야 되는 것입니다.
자신의 말투가 사랑을 주고 싶은 말투인가요?
자신의 표정은 사랑을 주고 싶은 표정인가요?

세상, 현실, 사람들에게 사랑을 못 받아서 외롭다고 하지 마시고 사랑받을 행동을 하세요.

> 우리는 사랑받기 위해 태어났지만
> 사랑은 아무나 받지 못합니다.
> 사람에게 사랑받고 싶습니까?
> 직장에서 사랑받고 싶습니까?
> 사랑받을 자격을 갖추십시오.
> 《나다운 방탄멘탈》

리더는 아무나 하지만 사랑받는 리더는 자격이 있다?

사람의 심리는 누구나 사랑, 존중, 인정받고 싶어 하는 3대 심리가 있다. 그중에서도 사랑받고 싶어 하는 것에 존중, 인정이 포함되어 있다. 그만큼 사랑받는 것을 중요시한다.

"당신은 사랑받기 위해 태어난 사람"이 노래 가사에 해당하는 사람은 아이들, 청소년이다. 아이들, 청소년에게는 맹목적인 사랑을 줘야 한다. 성인이 되면 "나는 사랑받기 위해 태어난 사람이지만 사랑받으려면 사랑 받을 행동을 먼저 해야 한다." 이런 태도로 체인지가 되어야 한다.

특히 리더는 자신을 따르는 사람들에게 사랑받기 위한

말투, 표정, 행동을 먼저 해야 한다. 하지만 많은 리더가 "내가 갑이고 직원이 을이니 당신들이 사랑받을 행동을 해야지"라는 태도로 직원을 대한다. 리더가 이런 태도다 보니 직원을 사람이 아닌 도구, 상품, 월급 충, 소모품으로만 생각하게 되어 오너의 갑질이 빈번하게 발생한다. 리더의 위력(사람의 의사를 제압할 수 있는 유형적 · 무형적인 힘을 말한다.)을 내세워 직원을 함부로 한다. 직원이 리더를 좋아하고 사랑하게 만들려면 리더가 먼저 10배는 더 사랑받을 행동을 해야 한다.

다음은 리더가 직원에게 사랑받기 위해서는 리더가 먼저 사랑받을 행동을 해야 한다는 것을 깨닫게 해주는 스트리텔링이다.

IBM의 창설자 톰 왓슨 회장 밑에서 일하던 한 간부가 무리한 프로젝트를 진행하다가 천만 달러라는 엄청난 손해를 회사에 안겨 주고 말았다. 왓슨에게 불려 간 간부는 침울하게 말했다. "제가 책임지고 사표를 쓰겠습니다." 그러자 왓슨은 자리에서 벌떡 일어나며 말했다. "지금 농담하는 건가?" "예?" "우리는 지금 자네를 위해 자그마치 천만 달러의 교육비를 지불했단 말일세!"
<IBM의 창설자 톰 왓슨 회장>

골프를 좋아하는 대기업 회장이 있었다. 회장은 회사 소유의 골프장에 종종 들렀다. 어느 날 골프를 치다가 '17번 홀 티 박스 주변에 소나무를 심으면 경관이 훨씬 더 좋겠다'라는 생각이 들었고, 그래서 골프장 관리 담당 임원을 불렀다. 그는 '17번 홀 티 박스 근처에 소나무를 심으세요'라는 말이 목구멍까지 차올랐지만 참았다. 그리고 이렇게 물었다.

"어떻게 하면 17번 홀을 더 멋지게 만들 수 있을까요?"
한참 동안 대화를 나누다 관리 담당 임원이 아이디어를 냈다.

"회장님, 멋진 소나무를 심으면 어떨까요?"
이 모습을 본 주위 사람들이 회장에게 물었다.

"아니, 그냥 '소나무를 심어라!' 하고 시키면 될 일을 왜 그리 일일이 상의하십니까?"
회장이 답했다.

"사람은 신바람 날 때 일을 가장 잘합니다. 부하 입장에선 상사 지시에 따라 일하면 신바람 안 나죠. 자기 생각이 들어간 일을 할 때 비로소 신이 나게 됩니다."

<HP John Young 회장>

유명한 경영컨설턴트가 어느 항공사의 CEO에게 물었다.
"고객은 늘 옳은 것이 아닌가요?"
그 질문에 CEO는 이렇게 답했다.

"아니요, 고객이 늘 옳지는 않습니다. 만약 그렇게 생각한다면 그것은 사장이 직원들을 크게 배신하는 게 됩니다. 고객은 때때로 잘못된 일을 합니다. 우리는 그런 고객을 수송하고 싶은 생각은 없습니다."

그리고 이어서 말했다.

"우리는 그런 사람들에게 이런 편지를 보냅니다."

"다른 항공편을 이용하십시오. 우리 직원들을 괴롭히지 마세요!'"

<사우스웨스트항공의 CEO였던 허브 켈러허(Herb Kelleher) 회장>

리더는 고객보다 직원을 먼저 사랑해야 한다. 그래야만 리더가 사랑받을 자격이 된다. 리더가 직원들에게 사랑받을 자격이 갖춰지면 세상에서 가장 비전 있는 회사가 된다.

20,000명 심리 상담, 코칭을 하면서 알게 된 것은 사랑받는 것도 사랑하는 것도 자격이 있는데 자격을 갖추려하지는 않고 시간의 흐름 속에서 사랑받았으면 좋겠고 사랑 했으면 하는 사람들이 90%다.

현실은 사랑받고 사랑하기 위한 조건들이 많아지고 있으며 사랑도 스펙이라는 태도가 중요하다. 리더가 직원들에게 사랑받기 위해서 리더부터 사랑받을 수 있는 말투, 표정, 행동을 해야 한다.

"리더가 그렇게까지 해야 합니까?"라고 물어보는 리더들도 많다. 그렇게까지 하지 않아도 된다. 다만 소중한 인재를 지키는 리더들은 무조건 한다는 것을 명심해라!

"그렇게까지 해야 되나?" 마음이 생길 때 "그렇게까지 하지 않으면 우리 직원들을 지킬 수가 없다."라는 태도가 자신을 따르는 직원을 사랑할 수 있고 사랑받는 리더가 된다. 리더가 사랑받을 자격을 갖추는 것이다.

다음은 태진아 가수에 <사랑은 아무나 하나> 노래를 개사한 것이다.

리더는 👤 아무나 하나

<사랑은 아무나 하나> 태진아

사랑은 아무나 하나
사랑은 아무나 하나
사랑은 아무나 하나
눈이라도 마주쳐야지
만남의 기쁨도 이별의 아픔도
두 사람이 만드는 걸
어느 세월에 너와 내가 만나
점 하나를 찍을까
사랑은 아무나 하나
어느 누가 쉽다고 했나

<리더는 아무나 하나> 최보규

리더는 아무나 하나
리더는 아무나 하나
리더는 아무나 하나
리더 타이틀만 있다고 아무나 못 하지
시행착오, 대가 지불, 인고의 시간들
수도 없이 겪어야만 감당이 되는 자리
어느 세월에 리더 없어도 돌아가는
시스템을 만들까
리더는 아무나 하나
어느 누가 쉽다고 했나

리더는 사랑받기 위해 태어난 사람이 아니다
리더는 사랑을 주기 위해 있는 것이다?!
리더가 사랑받으려면
말투, 표정, 행동을 10배는 더 힘써야 한다!

Good~!

참! 잘했어요

짝짝 짝짝 짝!

짝짝 짝짝 짝!

세상에서 가장 중요한 스펙 2가지? 건강과 태도. 모르는 사람은 없습니다. 다만 꾸준히 하고 다듬는 사람은 드물 것입니다. 자신의 스펙, 타이틀에 걸맞은 행동을 꾸준히 하지 않으면 그건 스펙이 아니라 스팸입니다. (순간만 맛있지 전혀 건강에 도움이 안 됩니다.)

어떤 사람의 명함, 프로필을 보면 그 사람이 누구인지 알 수 있습니다. 하지만 그 스펙과 타이틀에 걸맞은 행동을 보여주지 않는다면 그것은 그냥 검정 글씨일 뿐입니다. '역시 그 스펙, 타이틀에 걸맞은 사람이네!'라는 소리를 듣는 사람이 있는가 하면, 누군가는 '뭐지? 그 스펙, 타이틀이 아깝네! 돼지 목에 진주 목걸이 걸었네!
안타깝네!'라는 평을 듣는 사람도 있죠.
자기가 가진 스펙, 타이틀이 오히려 자신의 자존심, 체
면을 더 깎아내리는 상황이 생기는 사람도 있습니다.

스펙, 타이틀이 돼지 목에 진주 목걸이가 되는 상황,
스펙, 타이틀이 값어치를 하는 상황은
그 스펙, 타이틀에 걸맞은 꾸준한 행동이
뒷받침이 될 때 결정됩니다.
《나다운 방탄멘탈》

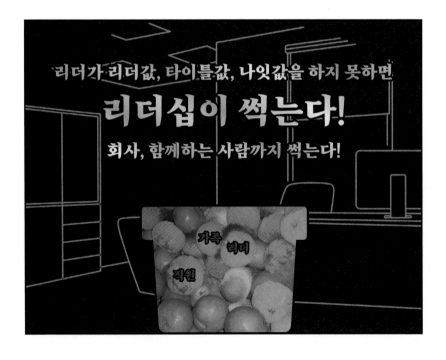

리더가 리더값, 타이틀값, 나잇값을 하지 못하면 리더가 썩는다. 리더가 썩으면 리더를 따르는 사람들은 자연스럽게 같이 썩는다. 귤 박스에 귤 하나가 썩으면 모든 귤을 썩게 하는 것처럼 말이다.

리더가 리더값, 타이틀값, 나잇값을 못 하는지, 하는지 알 수 있는 방법을 알려주겠다. "나 서울대 나왔어, 나 아는 게 많은 사람이야. 나 책 몇십 권 출간 했어. 나 타이틀 많아, 나 연예인만큼 유명한 사람이야. 나 인맥 많아. 나 돈 많이 벌고 있어. 나에게 충성하면 돈 많이 벌게 해줄게" 이 말을 직원들이 들었을 때 두 가지의 마음으로 리더값, 타이틀값, 나잇값을 하는지 안 하는지 구분할 수 있다.

첫 번째 마음, 리더가 리더값, 타이틀값, 나잇값을 하지 못했을 때 "리더님 서울대 나왔구나, 아는 게 많구나. 그런데 물어보면 모르는 게 더 많지? 학력이 서울대면 자신 분야 공부를 하지 않아도 되나? 싶을 정도로 공부하기 위해 책을 보는 모습을 본 적이 없네? 책을 몇십 권 출간한 사람들은 말만 해도 지식이 흘러넘치는데 지식이 가뭄이네? 리더님은 도대체 어떤 책을 몇 십 권을 출간한 거야? 자신 분야 경력이 30년차면 30년차에 맞는 내공, 인성, 존중, 배려, 인품이 나와야 하는데 3년 차 내공, 인성, 존중, 배려, 인품이 나오는 건 기분 탓인 가? 시대에 맞는 방향 제시, 노하우를 줘야 하는데 10 년도 지난 경험, 노하우를 맹신하라는 식으로 말하는 저 썩을 놈의 자신감은 어디서 나오는 거지? 왜 리더님이 말을 하면 속으로 너나 잘하세요! 말이 나오지? 다른 거 바라지 않습니다. 제발 좀 나잇값만이라도 하세요. 아! 회사 떠나고 싶다. 1년 전부터 사직서 만들어 놓은 것 못 참게 만드네.”

두 번째 마음, 리더가 리더값, 타이틀값, 나잇값을 했을 때 “우리 리더님은 역시 스펙, 타이틀, 경력에 맞는 내 공, 인성, 존중, 배려, 인품, 배우려는 모습들이 존경스러 워. 우리 리더님 만난 게 내 인생에 천재일우야! 리더님 다음 생에도 우리 리더님과 함께하고 싶어요! (천재일 우:천 년에 한 번 만난다는 뜻으로 좀처럼 만나기 어려 운 기회)

리더의 멘탈을 업데이트하려면 리더값, 타이틀값, 나잇 값을 하기 위해서 끊임없이 조직을 위해서 학습, 연습, 훈련해야 한다. 리더는 갑질이 아닌 쓰리값질을 해야 한 다. (쓰리값질: 리더값, 타이틀값, 나잇값)

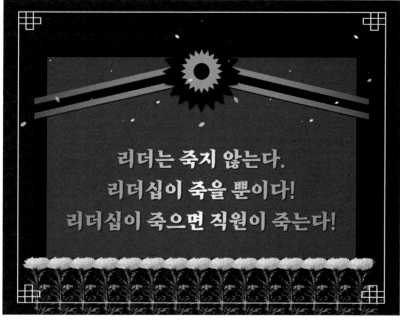

리더는 죽지 않는다.
리더십이 죽을 뿐이다!
리더십이 죽으면 직원이 죽는다!

사람은 늘 외로움을 느낍니다.
그래서 그림자가 있나 봅니다.
자신 그림자를 보려면 뒤를 돌아봐야 합니다.
외로움이 느껴질 때면 뒤를 돌아보세요.
나의 말투, 행동, 모습으로 주위 사람들을
떠나게 해서 외롭지는 않은지
자신의 입을 점검하세요.

높은 산이 되어 사람들이 힘들어하는 사람이기보다는,
오름직한 동산이 되어 많은 사람이 편하고 친근하게 언
제든 다가올 수 있는 그런 사람이 되고 싶습니다.

높은 곳만 바라보고 앞만 바라보며 가다가 쉴 타이밍을 잃어 탈진하게 되면 슬럼프가 찾아와 이렇게 말을 겁니다. 왜 앞만 보며 가세요? 왜 자신을 괴롭히세요? 자신 몸 자신 것이 아니에요! 당신 가족, 당신이 소중하게 생각하는 사람들 겁니다! 당신이 몸을 아낄 때까지 당신 곁을 안 떠날 겁니다.

그러다 몸이 방전되어 허탈한 마음이 듭니다. 아, 왜 이렇게 악착같이 했을까? 조금은 쉬엄쉬엄해도 될 것을 스스로 다그쳐 자신이 자신을 힘들게 합니다.

높은 곳, 앞만 보고 가는 것이 아니라 잠시 멈춰 숨을 고르기 위해 뒤에 있는 그림자에게 말을 걸어보세요! 힘들지? 외롭지? 토닥토닥. 그 누가 알아주지 않아도 내가 나를 알잖아요, 지금 잘하고 있는 거! 그림자는 인생길을 같이 가는 자신의 외로움, 동반자(나다움)입니다.

높은 산이 되기보다
우리 동네 뒷동산 같은 사람이 되고 싶습니다.
오름직한 뒷동산이 되어주기 위해
먼저 시작하겠습니다.
《나다운 방탄멘탈》

다음은 리더십의 가장 중요한 것은 인성이라는 것을 깨닫게 해주는 스토리텔링이다.

1998년 5월 워싱턴대학교에서 세계적인 부호 워런 버핏과 빌 게이츠의 초청 강연이 이뤄졌다. 350명의 학생이 세계적 명사의 강연을 듣는 행운을 누린 가운데, 강연이 끝나고 질의응답 시간이 이어졌다. 이때 한 학생이 물었다. "신보다 더 부자가 된 비결을 알고 싶습니다."
사실 성공이란 여러 요소가 복합적으로 작용한 결과이기에 학생이 던진 질문은 받아들이기에 따라 꽤나 대답하기 까다로울 법한 문제였다. 그러나 버핏의 대답은 간명했다.

"아주 간단합니다. 비결은 좋은 머리가 아니라 인성입니다" 그러자 빌 게이츠가 그의 말을 거들었다."
"저도 버핏의 말에 100퍼센트 동의합니다." 이 세상에 똑같은 사람은 존재하지 않지만, 성공 인사들을 살펴보면 놀랍도록 닮아 있다.

그중에서도 특히 인성이 그러하다. 하버드대에서는 하버드 인성이라는 고유명사가 있을 정도로 훌륭한 인성을 강조하는데, 여기에는 용감함, 강인함, 독립적 사고력, 겸손함, 부지런함, 배움을 향한 열정과 노력 등이 포함

되어 있다.

이렇듯 좋은 인성을 지닌 사람은 자연스럽게 건강한 정신과 바른 행동 자세로 일상생활은 물론 학업이나 일에서도 좀 더 수월하게 많은 성과를 거둘 수 있고 나아가서 더 나은 자아를 만들 수 있다.

《어떻게 인생을 살 것인가》

높은 산 같은 리더보다 뒷동산 같은 리더가 되자!

리더의 가장 중요한 덕목은 인성이다. 그 누구에게 물어봐도 리더십의 자질 중 인성은 0순위라고 말할 것이다. 인성이 좋다고 무조건 성공자, 행복한 사람이 되는 건 아니지만 성공자 리더들, 행복한 리더들, 유명 인사 리더들, 나다운 인생을 사는 리더들의 90%는 인성이 좋은 사람들이다. 인성이 무엇인가? "사람 좋다. 정이 넘친다. 법 없이도 살 사람이다." 틀린 말은 아니다. 하지만 21세기에 인성 좋은 사람의 기준은 "사람 좋다. 정이 넘친다. 법 없이도 살 사람이다."라는 말을 듣는 건 리더의 기본 스펙이 되었고 삼성(진정성, 전문성, 신뢰성)까지 있는 사람이 인성 좋은 리더라고 말할 수 있다.

예전에는 사람만 좋으면 인성이 좋은 사람이라고 했다. 하지만 4차 산업 시대에 인성은 능력까지 있어야만 인성이 좋은 리더라 할 수 있다. 리더의 손은 3개다? 오른

손, 왼손, 겸손이다. 겸손의 부모는 인성이다. 높은 산 (성공)이 되는 것도 좋지만 오를 직한 동산(겸손)이 되어 많은 사람과 함께 잘 살기 위한 욕심을 가져야 한다. 이런 태도가 리더 멘탈을 업데이트해 준다.

리더의 자리는 외로움, 고독함, 쓸쓸함, 잘 해줘도 욕먹는 위치...등 직원의 가족까지 책임져야 하는 자리다.

세상에서 가장 무거운 것은 가장의 어깨다.
우리 은하에서 무거운 것은 리더의 어깨다.
우주에서 가장 무거운 것은 엄마의 어깨다.

사람들의 각자 인생은 어깨가 무거운 것이다. 무거운 어깨를 가볍게 하는 것이 무언지 아는가? 20,000명 심리 상담, 코칭을 하면서 알게 된 삶의 무게를 가볍게 하는 비밀을 오픈하겠다.

높은 산(성공)이 되기보다는 오를 직한 동산(겸손, 함께 잘 살자)이 되려고 리더 인생을 사는 것이다. 필자가 말하는 오를직한 동산의 본질은 한마디로 "배움, 변화, 성장, 함께 잘 사는 마음에는 욕심을 가지되 돈, 성공에는 욕심을 내려놓아야 한다."라는 의미다.
당연히 돈, 성공도 필요하다. 하지만 집착이 아닌 집중을 하자는 것이다.

"어떻게 하면 높은 산 같은 리더가 아닌 오름직한 동산 같은 리더가 될 것인가?" 필자는 정답을 알고 있다. 정확히 말하면 필자만의 정답을 알고 있는 것이지 당신이 원하는 정답은 아니라는 것이다.

당신이 정답을 찾기 위해서는 "어떻게 하면 높은 산 같은 리더가 아닌 오름직한 동산 같은 리더가 될 것인가?" 이 말을 끊임없이 되새기면서 나다운 방법을 만들어 가기 위해 리더십 학습, 연습, 훈련을 통해 알게 되는 것이 자신만의 정답이 된다.

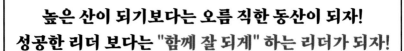

높은 산이 되기보다는 오름 직한 동산이 되자!
성공한 리더 보다는 "함께 잘 되게" 하는 리더가 되자!

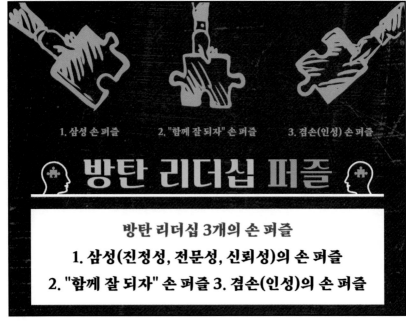

1. 삼성 손 퍼즐   2. "함께 잘 되자" 손 퍼즐   3. 겸손(인성) 손 퍼즐

방탄 리더십 퍼즐

방탄 리더십 3개의 손 퍼즐
1. 삼성(진정성, 전문성, 신뢰성)의 손 퍼즐
2. "함께 잘 되자" 손 퍼즐 3. 겸손(인성)의 손 퍼즐

인생은 마라톤
기록에 목표를 둘 것인가?
완주에 목표를 둘 것인가?
하루하루 기록을 목적으로 살면 여유가 없지만
하루하루 완주를 목적으로 살면 나다운 여유가
생깁니다.

우리는 등수가 매겨지는 세상을 살고 있습니다. 1등, 금메달, 대상, 성공…… 지금도 그 등급이 그 사람의 모든 것을 말해주는 듯한 착각 속에 살고 있습니다.
세상은 늘 메시지를 보냅니다. 그 등수에 들지 않으면

인생 잘살고 있지 않다, 더 해야 한다, 그것만이 인정받고 행복한 인생을 살 수 있다. 어딜 가도 들리는 소리가 아닌 소음입니다. 자신의 내면에서 말하는 것이 소리입니다. 세상 기준의 소음이 너무 크다 보니 자기 내면의 소리를 못 듣고 소음에 익숙해져 나다움, 나만의 페이스를 잃어갑니다.

여러분의 위치가 지금은 세상 기준으로 사람들이 알아주는 등수가 아니더라도 초라하게 생각하지 마세요. 우리는 2등입니다. 그래서 더욱 열심히 일합니다. 등수가 중요한 것이 아닙니다. 자기의 메타인지(나는 얼마만큼 할 수 있는가에 대한 판단)를 생각하고 미흡하고 모난 부분을 다듬고 채우다 보면 등수를 떠나 자기만의 페이스를 만들어 갈 수 있습니다.

저는 명강사, 스타강사, 1억 연봉 프로 강사는 아닙니다. 그래서 한 달에 책 15권씩 보며 12년 동안 자자자자멘습궁 122가지 습관을 만들어 관리합니다. 느낌 오시죠? 시작은 늦었어도 나의 페이스로 완주하는 것이 가장 행복한 인생 마라톤입니다! 5km, 10km, 21km, 41km 완주를 다 해보니 알았습니다. 뛰어보기 전에는 1등이면 가장 행복할 줄 알았습니다. 그건 저의 착각이었습니다. 나의 페이스를 잃지 않고 완주해보니 그 누구보다 행복하다는 것을 깨달았습니다.

부모, 자녀, 직장, 친구, 이웃, 동료…… 각자의 위치에서 자신의 페이스대로만 한다면 보여지는 것이 없더라도 잘하고 있는 것입니다. 출발이 늦었나요? 다 지구 안에 있습니다.

당신의 인생 마라톤 몇 km 왔나요?
20세=5km, 40세=10km, 60세=21km, 100세=41km
기록
(돈, 성공, 1등, 권력, 혼자만 잘 먹고 잘살자!)이 아닌
완주
(나의 페이스, 나다움, 나다운 자자자자멘습긍,
함께 잘되자!)를 위해 뜁시다.
이것이 나다운 마라톤입니다.
《나다운 방탄멘탈》

리더여, 당신의 리더십은 몇 km 왔는가?

리더십도 마라톤이다. 리더 위치에서는 완주보다는 기록을 우선순위 할 것이다. 리더는 결과(기록)를 내기 위해 힘써야 한다. 직원 가족들까지 책임을 져야 하는 책임감이 무겁기 때문이다. 하지만 기록에 집중이 아닌 집착을 해버리면 문제가 생긴다. 마라톤 코스인 5km, 10km, 21km, 41km 완주를 하면서 알게 된 것이 있다. 목표한 시간에 들어오기 위해 준비, 학습, 연습, 훈련도 중요하

지만, 더 중요한 것은 나의 페이스 유지를 잘해야 한다. 준비를 아무리 잘 했더라도 경기 중 많은 돌발 상황들로 인한 자신 페이스를 유지가 쉽지 않다.

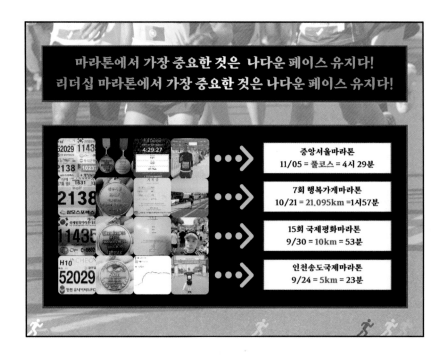

리더십도 마찬가지다. 리더를 하다 보면 수많은 변수들이 생긴다. 특히 고객, 거래처, 직원들로 인해 멘탈이 하루가 다르게 떨어진다. 상황별 대처를 잘하고 리더 페이스 유지를 잘하려면 멘탈을 업데이트해야 한다.

마라톤에서 자신 페이스를 유지 시켜주는 페이스메이커가 있다. 아마추어 마라톤 기준으로 15분~20분 간격으로 페이스메이커가 있다. 머리 위에 시간이 적힌 풍선을 달고 달리는 사람들이 페이스메이커 봉사자들이다.

리더라는 마라톤에서 페이스메이커(멘토: 전문가, 사람, 책, 도구 등)를 잘 활용해야 끊임없이 리더의 멘탈을 흔들리게 하는 고객, 거래처, 직원들로부터 리더 멘탈을 보호를 할 수 있다.

리더십은 마라톤이다!
연차별(코스) 준비를 하지 않으면 완주가 힘들다!

리더 연차별		1~3연차 [5km]
리더십		4~5연차 [10km]
업데이트를 위한	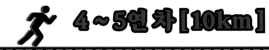	6~9연차 [21km]
준비? 변화?	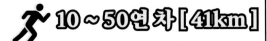	10~50연차 [41km]

리더의 리더십은 페이스메이커에 의해서 달라진다.

마라톤 코스인 5km, 10km, 21km, 41km 완주를 잘하려면 페이스메이커에 도움을 받아야 하듯 리더도 리더십을 잘 발휘하려면 리더, 조직 연차별 페이스메이커에 도움을 받아야 하는데 20,000명을 심리 상담, 코칭을 해보면 대부분 리더가 "내 직원, 조직은 내가 더 잘 알아. 리더가 알아서 하는 거지. 임원진들, 중간 리더들이 교육하면 되지"라는 태도로 내부 페이스메이커만 의존한다. 내부 페이스케이커를 활용(기본 소양 교육, 의미부여, 동기부여, 정신교육, 비전제시, 자신감, 멘탈 관리, 스트레스 관리 등)하면 돈, 시간을 절약을 할 수 있는 장점이 있지만 여러 번 반복되면 그때부터는 효과가 마이너스가 된다. "아 또 교육이야. 누가 하는데? 그분이 또해? 지겹네! 지겨워 신선함이 없어. 뻔한 말 하겠지." 라는 태도로 고정관념, 선입견이 생겨버린다. 교육 효과가 떨어지는 이유는 호일러ABC법칙 때문이다.

왜 기업체, 조직체, 시스템이 있는 회사들이 사내 교육 담당하는 부서가 있는 데도 많은 돈을 들여서 외부 강사, 전문 교육자, 전문가 의뢰를 통해서 임원진, 직원, 교육을 시키겠는가? 사내 교육만 하는 리더, 조직체는 가장 큰 문제가 있는 것이다.

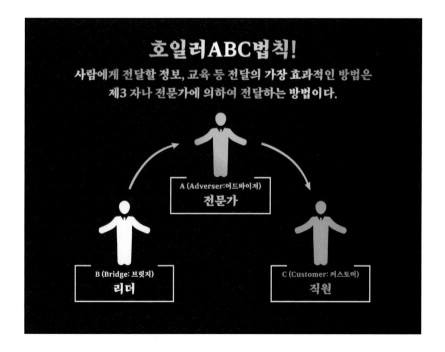

리더라면 무조건 호일러ABC법칙을 알아야 한다. 하버드 대학교 경영대학원의 호일러 교수에 의하여 만들어진 법칙이다. 사람에게 전달할 정보전달의 가장 효과적인 방법은 제 3자나 전문가에 의하여 전달하는 방법이다.

B라는 사람이 관리하는 C라는 거래처에 새로운 제품을 설명할 때 관계가 있었던 B라는 자신이 직접 설명하지 않고 C라는 거래처 사람과 관계가 없었던 A라는 전문가가 설명한다. 한마디로 제 3자인 전문가가 설명하는 것이다. B가 직접적으로 말할 때보다 A가 말하는 것이 더 효과가 있다는 것이다. 대부분 내가 정보를 전달하려는 사람들은 나에 대하여 어떠한 형태로든지 과거에 대하여 알고 있기 때문에 갑작스런운 나의 정보전달에 관심을 갖지 않고 기존의 고정관념에서 벗어나지 못하고 나를 평가한다.

부모가 자녀를 직접적으로 못 가르치듯이 리더가 직접 직원을 교육하지 못한다. 자신과 직접적인 관계가 있는 사람에게 교육, 방향 제시를 받으면 잔소리, 대충, 건성으로 듣게 되는 심리가 자연스럽게 생긴다. 기존에 친분도가 높으면 높을수록 받아들이지 않는 심리가 생긴다는 것이다.

러더 자신은 리더십 향상을 위해 리더 연차별 배움, 변화, 성장을 받을 수 있는 리더십 페이스메이커가 필요하고 리더는 주기적으로 직원 페이스메이커가 될 수 있는 전문가를 섭외해서 교육을 해야 한다. 그래서 리더는 조직이 커지면 커질수록 리더가 했던 일들을 임원진에게 조금씩 인수인계하고 리더십에서 중요한 인재 양성, 조직력을 키울 수 있는 교육 시스템을 만들기 위해 집중해야 하고 목숨을 걸어야만 조직력이 커지는 것이다.

물갈이만 되는 조직체? 물갈이를 거치고 커지는 조직체? 차이점이 인재 양성(직급별, 연차별 교육 시스템) 교육 시스템이 있냐. 없느냐? 차이라는 것을 명심하자!

나다운 방탄멘탈
나다운 방탄멘탈 197P ~ 198P

좋은 사람, 최고의 사람, 믿는 사람보다 더 중요한 사람? 지금 필요한 사람입니다!

좋은 사람보다 최고의 사람보다
믿는 사람보다 더 중요한 사람?
지금 필요한 사람입니다!
지금 필요한 사람이 되어주세요!
필요한 거 있어? 도와줄 거 있어?

좋은 사람보다, 최고의 사람보다, 믿는 사람보다 더 중요한 사람이 있습니다!
좋은 부모? 좋은 강사? 좋은 애인? 좋은 가족? 좋은 친구? 좋은 선배? 좋은 상사? 좋은 리더? 좋은 후배? 좋은 남편? 좋은 아내? 좋은 자녀?

최고의 부모? 최고의 강사? 최고의 애인? 최고의 가족? 최고의 친구? 최고의 선배? 최고의 상사? 최고의 리더? 최고의 후배? 최고의 남편? 최고의 아내? 최고의 자녀? 좋은 사람보다, 최고의 사람보다, 믿는 사람보다 지금 필요한 사람이 되어주는 것이야말로 세상에서 가장 좋은 사람, 최고의 사람, 믿는 사람입니다.

지금 소중한 사람들이 어떤 사람을 필요로 할까요? 놀아줄 사람? 격려해줄 사람? 사랑해줄 사람? 함께 울어줄 사람? 옆에 있어줄 사람? 배를 채워줄 사람? 좋은 사람, 최고의 사람이 되려고 지금 하는 일에 악착같이 하지 마시고, 나중으로 미루지 마시고 지금 옆에서 어깨 한번 안마해 줄 수 있는 필요한 사람이 되세요!
누군가는 징그러워서 어떻게 해요! 가족끼리 안마하는 거 아냐! 말하지만 오늘 누군가는 가족을 떠나보내며 안마 한 번이라도 더 해줄 걸 하며 슬퍼하는 가족이 있다는 것을 생각하면서 용기 내서 옆에 있는 가족에게 아무 말 없이 어깨 안마 한번 해주세요!

#주의사항: 약 먹었어? 징그럽게? 사고 쳤어? 왜 안 하던 짓을 해? 민망함 4단 콤보를 들을 수 있습니다. 영화관에서 콤보만 시켜 먹지 마시고 민망함 4단 콤보를 시키세요. 가족의 행복은 400배 커질 것입니다.

최고의 사람, 잘나가는 사람
돈 잘 버는 사람이 되려고 소중한 사람들과
보내는 시간을 줄이지 마세요. 소중한 사람들은
지금 옆에서 어깨 한번 주물러줄 수 있는
필요한 사람을 원합니다.
《나다운 방탄멘탈》

인기 있는 리더, 성공한 리더보다 더 중요한 리더는 지금 직원들에게 필요한 것이 무엇인지 알고 바로 행동으로 옮기는 리더가 필요하다는 것을 깨닫게 해주는 스토리텔링이다.

선생님은 좋은 의사입니까? 최고의 의사입니까? 지금 여기 누워있는 환자에게 물어보면 어떤 쪽 의사를 원한다고 할 거 같냐? 최고의 의사요? 아니! 필요한 의사다~~!!

지금 이 환자에게 절실히 필요한 것은 골절을 치료해줄 의사야. 그래서 나는 내가 아는 모든 걸 총동원해서 이 환자에게 필요한 의사가 되려고 노력 중이다.

답이 됐냐? 네가 시스템을 탓하고 세상을 탓하고 그런 세상 만든 꼰대 탓하는 거 다 좋아. 좋은데...그렇게 남

탓해봐야 세상 바뀌는 건 아무것도 없어. 그래봤자 그 사람들 네 이름 석 자도 기억하지 못할 걸. 정말로 이기고 싶으면 필요한 사람이 되면 돼. 남 탓 그만하고 네 실력으로 네가 바뀌지 않으면 아무것도 바뀌지 않는다.

<SBS 드라마 낭만닥터 김사부>

좋은 리더, 최고의 리더, 믿는 리더보다 더 중요한 리더? 지금 필요한 리더!

리더 뇌 속에 가장 많이 생각해야 할 게 무언지 아는가? 매출? 고객? 거래처? 보다 더 생각해야 될 것은 "지금 팀원, 직원들에게 필요한 것이 무언인가?" 매출, 고객, 거래처 생각하는 건 당연한 거다. "지금 팀원, 직원들에게 필요한 것이 무엇일까?"라는 생각을 리더가 끊임없이 해야지만 필요한 것을 찾으려고 배우며 변화하고 성장 하는 것이다. 필요한 것을 채워주기 위해서 행동을 해야 한다.

팀원, 직원들에게 필요한 것을 알기 위해 건의 사항, 요구 사항, 개선 사항을 받는다. 팀원, 직원들에 가장 기본적인 사항을 채워 줄 수 있는 것이 건의 사항, 요구 사항, 개선 사항을 받는 것이다.

20,000명을 심리 상담, 코칭을 해보면 평균적인 조직체들이 가장 필요하다고 말하는 게 뭔지 아는가? 리더의

조직체를 떠나는 사람들 공통점이 있다. 리더, 회사의 비전, 목표, 가능성이 없어서 떠나는 경우가 90%다.

잘 생각해보라. 리더가 비전, 목표, 가능성이 있다면 "우와! 우리 리더님 옆에만 있으면 비전, 목표, 가능성 없는 나도 해 낼 수 있을 거 같아. 우리 리더님은 내가 좋은 사람이 되고 싶도록 만들어" 이런 태도가 생겨 회사를 나가라고 해도 나가지 않을 것이다. 하지만 리더가 비전, 목표, 가능성이 없다면 "에잇, 우리 리더님 비전, 목표, 가능성이 전혀 없고 옆에 있으면 잘될 거 같지 않고 나까지 망할 거 같아. 우리 리더님은 사람들이 알아서 멀어지게 만드는 신기한 기술이 있어"라는 태도가 생겨 조용한 사직을 한다. '조용한 사직'(Quiet Quitting)이란 실제 퇴사를 하진 않지만, 마음은 일터에서 떠나 최소한의 업무만 하려는 태도를 뜻하는 신조어다.

다음은 MZ세대에서 부각이 되고 있는 조용한 사직에 대한 문화를 깨닫게 해주는 내용이다.

월급만큼만 일하는 '조용한 사직' MZ세대엔 이미 대세…팀워크 어쩌나

직장인 5년 차 박 모 씨는 최근 '조용한 사직'이라는 말

에 큰 공감을 느끼고 있다. '조용한 사직'(Quiet Quitting)이란 실제 퇴사를 하진 않지만, 마음은 일터에서 떠나 최소한의 업무만 하려는 태도를 뜻하는 신조어다. 김난도 서울대학교 소비자학과 교수도 지난 5일 오후 '트렌드 코리아 2023' 출간 간담회에서 내년 대한민국을 관통하는 주요 키워드(핵심어)로 '조용한 사직'을 꼽았다.

A씨는 "최근 '조용한 사직'이란 단어에 너무 크게 공감한다"며 "친구들이랑 술자리 가면 10명에 9명이 다 동의할 정도로 요즘 우리 세대 직장인들에겐 보편적인 현상 아닐까 싶다"고 설명했다.

이어 "연봉협상을 했는데 물가는 엄청 올랐는데 월급은 쥐꼬리만큼 올려주면서 불황에도 인상했지 않느냐는 회사의 망언을 들으며 더 확실히 '조용한 사직'을 해야겠다는 마음을 굳혔다"고 머리를 긁적였다.

특히 사원·대리·과장 등 이른바 MZ직장인들 상당수가 조용한 사직을 실천하고 있었다. 반면 차장·부장·임원 등 40~50대 직장인들은 온도 차가 있었다.

통계에서도 이같은 사실을 확인할 수 있다. 구인·구직 플랫폼 사람인이 지난해 12월 직장인 3,293명을 대상으로 '딱 월급 받는 만큼만 일하면 된다'라는 말에 10명 중 7명(70%)이 '동의한다'고 답했다. 세대별로 '동의한다'는 응답 비율이 20대(78.5%), 30대(77.1%)에서 높게 나타난 반면에 40대(59.2%)와 50대(40.1%)는 비율이 상대적으로 낮았다.

<사람인> 설문조사에 의하면 직장인 10명 중 7명이 월급 받는 만큼만 일하면 끝이라고 말을 한다.
<사람인 직장인 3,293명 설문조사>

"부장님 이 월급 받고 왜 일 더해야죠?"…월급 루팡 아니라 딱 돈 준 만큼만

7일 <뉴스1> 취재를 종합하면 많은 MZ세대 직장인들이 '조용한 사직'에 동감하고 실천하고 있는 것을 확인할 수 있었다.

직장인 2년차 B씨는 "부장님이 지난 번에 저녁 술자리에서 라떼를 시전하시면서 '열정'을 갖고 회사 일에 임하라고 하는데 어이가 없어서 헛웃음만 나왔다"고 말했다.

최근에 결혼한 직장인 4년차 C씨는 "부장이랑 전무, 대

표이사 등 윗분들은 그 당시 회사 월급으로 집도 사고 가족도 부양하니 회사에 충성했을 것"이라며 "지금은 회사 월급이 내 삶을 책임져줍니까"라고 되물었다. 이어 "그렇다고 일을 아예 안하고 월급만 챙겨가는 이른바 '월급 루팡'을 한다는게 아니다"라며 "딱 돈 준 만큼 일하겠다는 것"이라고 덧붙였다.

이 말을 듣던 D씨는 "상사들을 보니 회사에 충성하고 인생을 바쳐도 회사로부터 돌아온 것은 별로 없는 것 같다"며 "오히려 '조용한 사직' 같은 마음으로 회사를 다니는게 맘 편하다"고 동조했다.

"MZ세대가 벼슬인가?"…'팀워크 포기' 기성세대 골머리
기성세대도 신입 직원들의 마음을 이해한다. '나 때는'으로 시작하는 무용담은 삼키고 후배 눈치도 살피느라 부단히 애를 쓰고 있다. 그럼에도 마뜩잖은 후배의 업무 태도를 지적하기보다 함께 일하기를 포기하는 경우도 적지 않다.

중소기업 과장 양현수씨(35)는 "MZ세대가 벼슬도 아닌데 상전 모시듯 하게 돼 우리 부서에선 신입 직원을 받고 싶지 않아 한다."며 "업무 시간을 칼같이 지킬 수 없는 날이 있음에도 한 후배가 20분 초과 근무한 날을 문

제 삼았을 땐 정말 난처했다."고 고개를 절레절레 흔들었다.

대기업 부장급인 천 모 씨(40)는 "요즘 신입 직원들은 MZ세대라는 말로 자기 행동에 면죄부를 만들어 부담스럽다"며 "업무 인수인계를 위한 설명 한 번에도 후배가 어떻게 받아들일지 고민부터 하게 돼 오히려 혼자 일하는 것이 편하게 느껴질 때가 많다"고 고백했다.

천씨는 "후배들의 개인 영역을 존중하다 보니 대화를 하거나 친분을 쌓는 일도 포기한 지 오래"라며 "애사심이나 동료애를 꼭 가져야 하는 것은 아니지만 팀워크로 완성하는 업무도 분명히 있기 때문에 한편으로는 씁쓸하다"고 한숨을 내쉬었다.

기업도 조직 내 MZ세대와 기성세대 간 불협화음을 느낀지 오래됐다. 그러나 단순히 조직 문화 개선으로만 해결할 수 있는 문제가 아니라고 입을 모은다.

기업 인사담당자 A씨(32)는 "신규 입사자 중 1~2년 이내 퇴사 비율이 높아지고 있는 것을 체감하고 있다"며 "최근 젊은 세대가 인생에서 중요한 가치로 생각하는 자아실현은 회사에서 이룰 수 있는 것이 아니라는 사실을 알기 때문에 연봉 인상이나 복지제도 개선도 해결책은 아니라고 느끼고 있다"고 토로했다.

<뉴스1 조현기, 이비슬 기자>

MZ 세대만 그런 게 아니고 직장인만 조용한 사직을 하는 게 아니다. 리더라면 시대 흐름이고 지금 시대 사람들의 평균적인 심리를 알아야 하는 것이다. 리더는 심리 공부를 누구보다 더해야 한다. 모든 업종에서 나타나는 상황이고 사람들 심리 상태다. 리더, 회사가 비전, 목표, 가능성이 있다면 조용한 사직을 하겠는가? 절대 그럴 수 없다. 비전, 목표, 가능성이 없어 보이니 조용한 사직을 하는 것이다.

리더가 팀원, 직원에게 필요한 리더가 되기 위해서 리더의 비전, 목표, 가능성을 보여 주기 위해 힘써야 한다.

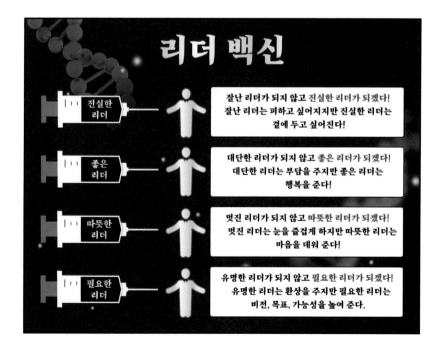

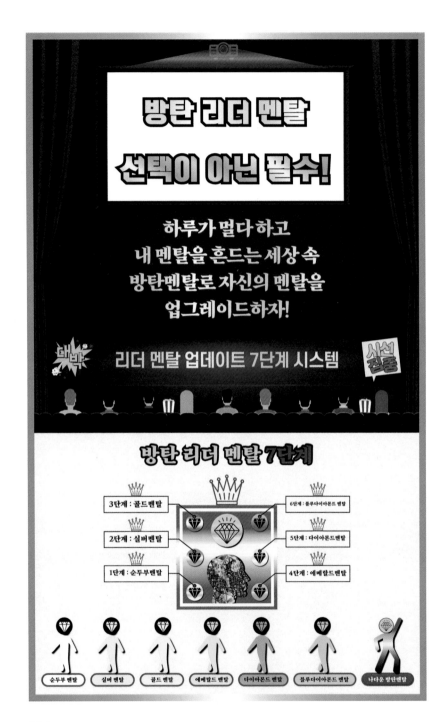

방탄 리더 멘탈 코칭

✔ 일시, 시간

▶ 수시 모집 (상담)

▶ 13:00 ~ 18:00 (기본 5시간)

　시간 조정 가능!(10H, 15H, 20H)

✔ 내용

1단계: 리더 순두부멘탈	step 01 ~ step 10
2단계: 리더 실버멘탈	step 11 ~ step 20
3단계: 리더 골드멘탈	step 21 ~ step 30
4단계: 리더 에메랄드멘탈	step 31 ~ step 40
5단계: 리더 다이아몬드멘탈	step 41 ~ step 50
6단계: 리더 블루다이아몬드멘탈	step 51 ~ step 70
7단계: 리더 나다운 방탄멘탈	step 71 ~ step 115

✔ 자기계발 비용, 인원

▶ 비용 상담

▶ 1:1 코칭(온,오프라인)

✔ 장소, 상담

▶ 장소 상담 후 상황에 따라 변동 사항

▶ 한 번의 상담이 인생 터닝포인트

　150년 A/S, 관리, 피드백

　최보규 원장 010-6578-8295

리더는 누구나 되지만
방탄 리더는 아무나 될 수 없다!

BLMA

방탄자기계발사관학교
홈페이지 무인시스템

방탄자기계발사관학교

www.방탄자기계발사관학교.com

정예 방탄자기계발 전문가를 양성하는 사관학교

특허청 등록
최보규 자기계발코칭 창시자
등록 번호: 제 40-2072344 호

특허청 등록
최보규 리더동기부여 코칭전문가
등록 번호: 제 40-2128786호

방탄자기계발사관학교

아무나 방탄자기계발전문가가 될 수 있었다면 난 절대로 방탄자기계발사관학교를 선택하지 않았을 것이다.

| Google 자기계발아마존 | YouTube 방탄자기계발 | NAVER 방탄자기계발사관학교 | NAVER 최보규 |

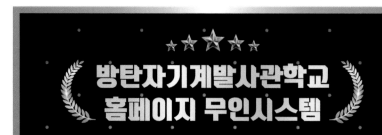

방탄자기계발사관학교
홈페이지 무인시스템

방탄자기계발사관학교 소개
1,000,000원

구매하기

PPT로 책 쓰기, 책 출간
200,000원

구매하기

자신 분야 6가지 수입을 창출 방법
200,000원

구매하기

방탄 사랑 사랑 사용 설명서 사랑도 스펙이다
200,000원

구매하기

288

명품
자기개발

명품
동기부여

★★★★★ **차별이 아닌 초월 혜택** ★★★★★

Google 자기계발아마존   ▶YouTube 방탄자기계발   NAVER 방탄동기부여   NAVER 최보규

이코노미 PT

기본 5H : 500,000원

- ☑ 150년 A/S (세계 최초)
- ☑ 마스터한 분야 자격증 1종 취득
- ☑ 방탄자기계발사관학교 강사 위촉
- ☑ 방탄자기계발사관학교 마스터 위촉
- ☑ 비지니스 PT 10% 할인
  (10만원 상당)
- ☑ 퍼스트클래스 PT 10% 할인
  (30만원 상당)
- ☑ 마스터한 분야 실전 2시간 강의
  교안 제공. (강사료 200만원 상당)

특허청 등록
최보규 자기계발코칭 창시자
등록 번호: 제 40-2072344 호

★★★★★ 차별이 아닌 초월 시스템 ★★★★★

타사와 비교불가 초월 혜택!
자신 분야 온라인 건물주가 되어 100년 수입 창출!

Google 자기계발아마존 ｜ ▶YouTube 방탄자기계발 ｜ NAVER 강사야 ｜ NAVER 최보규

비지니스 PT

기본 5H : 500,000원

CHECK POINT

☑ 기본 1회(2~3일=10H)

☑ 6가지 수입 창출 시스템 실전 훈련

☑ 150년 A/S, 피드백

특허청 등록
최보규 자기계발코칭 창시자
등록 번호: 제 40-2072344 호

★★★★★ 차별이 아닌 초월 혜택 ★★★★★

| Google 자기계발아마존 | ▶YouTube 방탄자기계발 | NAVER 방탄동기부여 | NAVER 최보규 |

비지니스 PT

기본 10H : 1,000,000원

☑ 150년 A/S, 피드백

☑ 마스터한 분야 자격증 1종 취득

☑ 방탄자기계발사관학교 전임 강사 위촉

☑ 방탄자기계발사관학교 전임 마스터 위촉

☑ 퍼스트클래스 PT 10% 할인
   (30만원 상당)

☑ 강사 맞춤 트레이닝 비대면 1회 제공
   (50만원 상당)

☑ 마스터한 분야 실전 2시간 강의 교안
   제공, 1:1 맞춤 교안 설명
   (강사료 200만원 / 1:1 맞춤 100만원 상당)

특허청 등록
최보규 자기계발코칭 창시자
등록 번호: 제 40-2072344 호

★★★★★ 차별이 아닌 초월 시스템 ★★★★★

타사와 비교불가 초월 혜택!
자신 분야 온라인 건물주가 되어 100년 수입 창출!

Google 자기계발아마존 ▶YouTube 방탄자기계발 NAVER 강사야 NAVER 최보규

퍼스트클래스 PT

기본 15H : 3,000,000원~

CHECK POINT

☑ 기본 1회(15H) / (2회 ~ 5회 선택 사항)

☑ 6가지 수입 창출 **자동 시스템 구축**

☑ 150년 A/S, 피드백, VIP맞춤 관리

🏅 **특허청 등록** 🏅
최보규 자기계발코칭 창시자
등록 번호: 제 40-2072344 호

★★★★★ **차별이 아닌 초월 혜택** ★★★★★

Google 자기계발아마존	▶YouTube 방탄자기계발	NAVER 방탄동기부여	NAVER 최보규

퍼스트클래스 PT

기본 15H : 3,000,000원~

- ☑ 150년 A/S, 피드백, VIP맞춤 관리
- ☑ 자격증 3종 취득 (150만원 상당)
- ☑ 방탄자기계발사관학교 지회장 위촉
- ☑ 종이책, 전자책 출간 후 네이버 인물 등록
- ☑ 20H, 30H, 40H, 50H PT 20% 할인
- ☑ 강사 맞춤 트레이닝 대면 1회 제공
  (50만원 상당)
- ☑ 프로필 유튜브 홍보 영상 제작
  (100만원 상당)
- ☑ 마스터한 분야 풀 패키지 (교안 제공,
  1:1 맞춤 교안 설명, 청강 1회 제공)
  (강사료 200만원 / 1:1 맞춤 100만원 /
  청강 1회 200만원 상당)

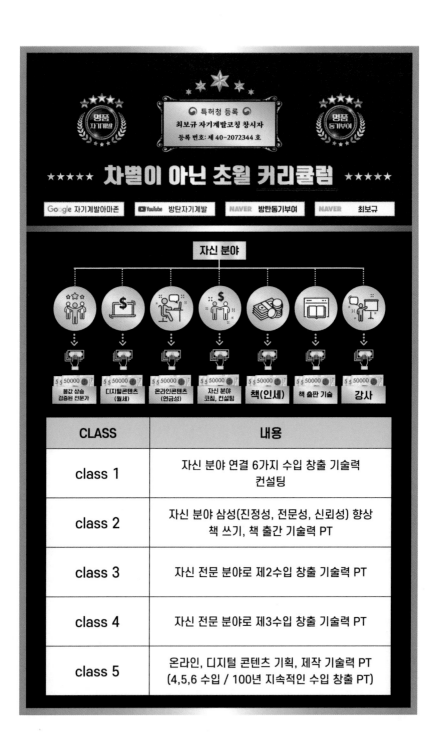

CLASS	내용
class 1	자신 분야 연결 6가지 수입 창출 기술력 컨설팅
class 2	자신 분야 삼성(진정성, 전문성, 신뢰성) 향상 책 쓰기, 책 출간 기술력 PT
class 3	자신 전문 분야로 제2수입 창출 기술력 PT
class 4	자신 전문 분야로 제3수입 창출 기술력 PT
class 5	온라인, 디지털 콘텐츠 기획, 제작 기술력 PT (4,5,6 수입 / 100년 지속적인 수입 창출 PT)

◆ 참고문헌, 출처

<훈민정음 서문>

<산업인력공단>

<최보규 리더의무교육 코칭전문가>

<중용 23장>

《마음을 밝혀주는 소금 1》 내용 각색

《실행이 답이다》

<JTBC 골라봐야지>

<코리아헤럴드 김민진 기자>

《관계 정리가 힘이다》

《나다운 방탄 카피 사전》

《나다운 방탄자존감 명언 I》 최보규, 부크크(Bookk), 2021

《마음을 밝혀주는 소금 1》 유동법, 움직이는 책, 1997

《나다운 방탄 카피 사전》 부크크(Bookk), 최보규, 노재광, 2021

<코리아헤럴드 김민진 기자>

《관계 정리가 힘이다》 윤선현, 위즈덤하우스, 2014

《나다운 방탄자존감 명언 II》 최보규, 부크크(Bookk), 2021

《한뼘한뼘》 강예신, 예담, 2014

《1cm+》 김은주, 허밍버드, 2013

유튜브 <북울림>《상위 1퍼센트의 결정적 도구》 신익수, 생각의길, 2020

<수타니파타>, <微新>

《인생의 레몬차》 루화난, 달과소, 2006

<한경문화 최종석 기자>

《스트레스의 힘》 켈리 멕고니걸, 신예경 옮김, 21세기북스, 2015

<유튜브 1분과학>

<사자의 스트레스>, <유튜브 사오TV>

《나다운 방탄멘탈》 최보규, 베프북스, 2020

《사람을 남겨라》 정동일, 북스톤, 2015
《관계의 힘》 레이먼드 조, 한국경제신문사, 2013
<IBM의 창설자 톰 왓슨 회장>
<HP John Young 회장>
<사우스웨스트항공의 CEO였던 허브 켈러허(Herb Kelleher) 회장>
《어떻게 인생을 살 것인가》 쑤린, 다연, 2015
<SBS 드라마 낭만닥터 김사부>
<사람인 직장인 3,293명 설문조사>
<뉴스1 조현기, 이비슬 기자>

방탄리더사관학교 4

(방탄 리더 인재 양성 사관학교)

발 행 | 2024년 04월 25일

저 자 | 최보규, 서윤희

편 집 | 최보규, 서윤희

디자인 | 최보규, 서윤희

마케팅 | 최보규

펴낸이 | 한건희

펴낸곳 | 주식회사 부크크

출판사등록 | 2014.07.15.(제2014-16호)

주 소 | 서울특별시 금천구 가산디지털1로 119 SK트윈타워 A동 305호

전 화 | 1670-8316

이메일 | info@bookk.co.kr

ISBN | 979-11-410-8153-9

www.bookk.co.kr